기도 양육
101

세움북스는 기독교 가치관으로 교회와 성도를 건강하게 세우는 바른 책을 만들어 갑니다.

기도 양육 101

기도의 기본 5W와 1H

초판 2쇄 발행 2025년 10월 25일

지은이 | 김영한
펴낸이 | 강인구
펴낸곳 | 세움북스

등 록 | 제2014-000144호
주 소 | 서울시 종로구 대학로19 한국기독교회관 1010호
전 화 | 02-3144-3500
팩 스 | 02-6008-5712
이메일 | cdgn@daum.net

교 정 | 이윤경
디자인 | 참디자인

ISBN 979-11-87025-95-5 (03230)
SET 979-11-87025-99-3 (03230)

기도 양육 101

기도의 기본 5W와 1H

김영한 지음

세움북스

나는 오늘 해야 할 일이 많기 때문에
기도하는 시간을 갖기 위해서 한 시간 더 일찍 일어난다.

– 마틴 루터(Martin Luther) –

기도하는 한 사람이 기도하지 않는 모든 민족보다 강하다.
무릎 위에 놓인 나라는 무기 아래 놓인 나라보다 더 강하다.

– 존 녹스(John Knox) –

옷을 만드는 것은 재단사의 일이고 구두를 수선하는 것은 구두장이의 일이고
기도하는 것은 그리스도인의 일이다. 기도의 실패자는 생활의 실패자이다.

– E. M. 바운즈(E. M. Bounds) –

기도는 하나님의 심정에 이르게 하는 것이다.

– 제레미 테일러(Jeremy Taylor) –

아버지와 같이 있기를 바라는 것 이외의 것을 바라지 않는 것이
기도의 가장 기본적인 의식이다.

– 레이 랙스데일(Ray W. Ragsdale) –

기도란 그리스도의 능력을 붙잡는 손이다.
늙어 갈수록 기도를 더 많이 하라. 그래야 신령한 일에 냉랭해지지 않는다.

– 고아들의 아버지, 조지 뮬러(George Muller) –

기도는 우리가 믿음으로 발견한 주님의 복음에 들어있는 보물을 파내는 것이다.

– 존 칼빈(John Calvin) –

기도 양육 101
기도의 기본 5W와 1H을 출간하며

기도에 관한 책은 수없이 많다. 그러나 기도에 대해 체계적으로 양육하는 책은 없다. 초신자뿐 아니라 기신자도 기도에 대해 제대로 배울 수 있는 가이드 북은 없는 듯하다. 대부분 기도에 관한 책은 개인적 경험에 바탕을 둔 것으로 경건스럽지만, 때로 너무 신비적이다. 심지어 이단적인 내용으로 비치기도 한다. 그래서 성경적인 내용을 바탕으로 한 기도에 관한 양육 책을 집필하기로 마음을 먹었다.

감사하게도 교회 내에서 오랫 동안 기도 관련 사역을 했다. 기도에 대한 내용으로 기도학교를 섬기고, 기도양육학교를 운영했다. 극동방송에서도 기도학교, 중보기도학교를 섬길 기회가 있었다. 그때 나누었던 내용들을 바탕으로 기도 양육을 위한 입문서로 활용 가능한 『기도 양육 101』을 정리할 수 있었다.

『기도 양육 101』은 기도와 관련하여 5W(Who, What, Why, When, Where)와 1H(How)에 관한 내용을 담았다. 가장 기본적으로 다음과 같은 내용을 질문하고 답하는 형식으로 구성 되어 있다.

Who 기도자와 기도의 대상자
What 기도의 정의, 내용, 유익
How 기도의 방법과 노하우
Why 기도의 이유
When 기도의 시간과 타이밍
Where 기도의 장소

특별히 이 책은 기도에 대해 성경을 중심(pivot)으로 논했다. 즉 어떤 사람, 책, 교리에 근거하여 집필하기보다 성경 책 자체에서 그 의미를 살펴보았다.

하나님의 말씀이 말해 주고, 가이드해 주는 기도에 관해 내용까지만 초신자와 기신자가 기도의 기본에 대해 체계적으로 배우도록 구성하였다. 더 나아가 기도를 실제적으로 실천할 수 있는 과제도 각 챕터별로 넣었다. 기도에 대해 이해하고, 머리로만 아는 것이 아니라 실존적으로 기도의 삶을 살도록 하고, 체크 리스트를 책 맨 뒤에 첨부하여 매주 기도자의 삶을 사는지 스스로 점검하며 양육받도록 하였다.

2021년 4월

김 영 한(Next 세대 Ministry 대표 / 품는교회 담임)

목차

Contents

Who

chapter 1

기도의 대상자 기도자와

1. 누가 기도하도록 명령하셨는가

너는 내게 부르짖으라 내가 네게 응답하겠고 네가 알지 못하는 크고 은밀한 일을 네게 보이리라_**렘 33:3**

그러므로 너희는 이렇게 기도하라_**마 6:9**

2. 기도는 누구에게 해야 하는가

Q 인생을 살면서 누구와 가장 많은 대화를 하였는가? 그래서 얻게 된 좋은 점은 무엇인가?

너는 기도할 때에 네 골방에 들어가 문을 닫고 은밀한 중에 계신 네 아버지께 기도하라 은밀한 중에 보시는 네 아버지께서 갚으시리라_**마 6:6**

3. 기도를 받으시는 하나님은 어떤 존재이신가

Q 요즘 당신에게 하나님은 어떤 분이신가?

1) ______ 하시는 주님

만일 우리가 우리 죄를 자백하면 그는 미쁘시고 의로우사 우리 죄를 사하시며 우리를 모든 불의에서 깨끗하게 하실 것이요_**요일 1:9**

2) 구하는 자에게 좋은 것을 주시는 주님

너희가 악한 자라도 좋은 것으로 자식에게 줄 줄 알거든 하물며 하늘에 계신 너희 아버지께서 구하는 자에게 좋은 것으로 주시지 않겠느냐_**마 7:11**

3) ______ 을 보내 주시는 주님

너희가 악할지라도 좋은 것을 자식에게 줄 줄 알거든 하물며 너희 하늘 아버지께서 구하는 자에게 성령을 주시지 않겠느냐 하시니라_**눅 11:13**

4) 작은 참새도 돌보시는 하나님

참새 다섯 마리가 두 앗사리온에 팔리는 것이 아니냐 그러나 하나님 앞에는 그 하나도 잊어버리시는 바 되지 아니하는도다_**눅 12:6**

5) 자기를 찾는 자를 ______ 주시는 하나님

나를 사랑하는 자들이 나의 사랑을 입으며 나를 간절히 찾는 자가 나를 만날 것이니라_**잠언 8:17**

6) 기도를 들으시는 하나님

기도를 들으시는 주여 모든 육체가 주께 나아오리이다_시 65:2

7) 자녀를 ______ 않으시는 하나님

여인이 어찌 그 젖 먹는 자식을 잊겠으며 자기 태에서 난 아들을 긍휼히 여기지 않겠느냐 그들은 혹시 잊을지라도 나는 너를 잊지 아니할 것이라_사 49:15

8) 졸지도 주무시지도 않으시는 하나님

이스라엘을 지키시는 이는 졸지도 아니하시고 주무시지도 아니하시리로다_시 121:4

9) 우리를 위해서 ______ 하나님

여호와께서 너희를 위하여 싸우시리니 너희는 가만히 있을지니라_출 14:14

10) 부르짖음에 응답하시는 하나님

내가 여호와를 기다리고 기다렸더니 귀를 기울이사 나의 부르짖음을 들으셨도다_시 40:1

11) ______ 아버지라 부르게 하시는 주님

너희가 아들이므로 하나님이 그 아들의 영을 우리 마음 가운데 보내사 아빠 아버지라 부르게 하셨느니라_갈 4:6

12) 예수 그리스도를 계시하시는 주님

> 내 아버지께서 모든 것을 내게 주셨으니 아버지 외에는 아들이 누구인지 아는 자가 없고 아들과 또 아들의 소원대로 계시를 받는 자 외에는 아버지가 누구인지 아는 자가 없나이다 하시고_눅 10:22

4. 인간은 어떤 존재에게 기도하는가

Q 예전에 믿음이 없었을 때 어떤 대상 혹 어떤 것을 신뢰하며 살았는가?

하나님이 아닌 다른 우상에 푹 빠져 살았던 인간

바알

> **풍요와 성공의 신, 바알**
>
> 고대 근동의 신들 가운데서 가장 두드러진 활동을 나타낸 신들은 자연과 연관이 있었다. 이 자연신을 가나안에서는 '바알'이라고 불렀다. 원래 바알은 최초로 유프라테스 계곡에서 숭배된 '비옥의 신'인 다간의 아들이었다. 가나안 사람들은 자연현상을 통해 바알이 의지와 감정을 나타내고 표현하고 있다고 생각하였다. 특히, 바알 앞에서의 성교를 통해 다산의 결실을 가진다고 믿었다. 그래서 그들의 종교적인 성행위는 결코 잘못이나 부끄러움이 아니었다. 이스라엘 백성들은 오랜 유목 생활을 하였다. 그런 이스라엘 백성들은 가나안에 도착해 풍요로운 농경 사회를 보고 놀랐다. 그리고 그 농경문화를 배우며 가나안 사람들의 생활양식을 익혔다. 문제는 가나안인의 생활양식이 타락한 가나안 종교와 불가분의 관계라는 것이다. 결국, 이스라엘 백성은 풍요를 누리며 성적 타락에 빠져들었다.

쾌락의 여신, 아세라

고대 근동 지방에서 가나안 족속이 숭배하였던 여신으로 '엘'의 부인이었다. 팔레스타인 전 지역의 족속별 우상 70개 신들의 모신(母神)이었다. 한 가정의 주관자, 아내, 어머니로서의 신이었고, 행복을 가져다주는 번영과 풍요의 여신으로 성적인 방종신(신전에서 집단 혼음)이었다. 아세라상은 나무로 만들어서 땅에 곧게 세워졌고, 팔레스타인에서는 수천 개의 신상이 발견되었다. 아세라는 주로 짧은 곱슬머리에 나체를 하고 있으며, 손으로 가슴을 가리고 있는 모습으로 묘사되었다. 아세라는 바다의 여신이자 지혜의 여신이며, 각종 낳는 것을 주관하는 여인으로 추앙받았다. 다시 말해서, 곡식의 생산이나 가축 혹은 인간의 출산을 관장하는 신으로 여겼다. 문제는 이 쾌락과 다산의 여신 아세라는 이스라엘을 심히 음란한 백성으로 만들었다.

성공신 바알과 쾌락의 여신 아세라의 변천사

세계에 분포되어 있는 가나안의 바알 신은 헬라 시대에 제우스(그리스), 로마 시대에는 쥬피터, 이집트에선 오시리스로 시대마다 변모되었다. 가나안의 쾌락의 여신 아세라는 헬라 시대에 그리스 아프로디테, 로마의 비너스 혹은 다이아나, 이집트의 이시스가 되었다.

Q 우리의 일상적인 삶 속에 바알과 아세라는 어떻게 다가와 있을까요? 어떻게 젊은이들을 유혹하고 하나님에게서 멀어지게 할까요?

바알세붑

2 아하시야가 사마리아에 있는 그의 다락 난간에서 떨어져 병들매 사자를 보내
며 그들에게 이르되 가서 에그론의 신 바알세붑에게 이 병이 낫겠나 물어 보라
하니라 3 여호와의 사자가 디셉 사람 엘리야에게 이르되 너는 일어나 올라가서
사마리아 왕의 사자를 만나 그에게 이르기를 이스라엘에 하나님이 없어서 너
희가 에그론의 신 바알세붑에게 물으러 가느냐 4 그러므로 여호와의 말씀이 네
가 올라간 침상에서 내려오지 못할지라 네가 반드시 죽으리라 하셨다 하라 엘
리야가 이에 가니라 5 사자들이 왕에게 돌아오니 왕이 그들에게 이르되 너희
는 어찌하여 돌아왔느냐 하니 6 그들이 말하되 한 사람이 올라와서 우리를 만
나 이르되 너희는 너희를 보낸 왕에게로 돌아가서 그에게 고하기를 여호와의
말씀이 이스라엘에 하나님이 없어서 네가 에그론의 신 바알세붑에게 물으려고
보내느냐 그러므로 네가 올라간 침상에서 내려오지 못할지라 네가 반드시 죽
으리라 하셨다 하라 하더이다_**왕하 1:2-6**

알지 못하는 신

22 바울이 아레오바고 가운데 서서 말하되 아덴 사람들아 너희를 보니 범사에
종교심이 많도다 23 내가 두루 다니며 너희가 위하는 것들을 보다가 알지 못하
는 신에게라고 새긴 단도 보았으니 그런즉 너희가 알지 못하고 위하는 그것을
내가 너희에게 알게 하리라 24 우주와 그 가운데 있는 만물을 지으신 하나님께
서는 천지의 주재시니 손으로 지은 전에 계시지 아니하시고 25 또 무엇이 부족
한 것처럼 사람의 손으로 섬김을 받으시는 것이 아니니 이는 만민에게 생명과
호흡과 만물을 친히 주시는 이심이라_**행 17:22-25**

5. 하나님 아닌 존재에게 기도할 때의 특징은 무엇인가

Q 어릴 때 굿이나 점치는 사람을 보았는가?
어떤 점이 특이하고, 기억에 남는가?

- 중언부언(重言復言)
- 자해적 요소 동반
- 비인격적

6. 누구를 대적하며 기도해야 하는가

우리의 씨름은 혈과 육을 상대하는 것이 아니요 통치자들과 권세들과 이 어둠의 세상 주관자들과 하늘에 있는 악의 영들을 상대함이라_**엡 6:12**

Q 사탄은 우리 가정이 무너지도록 어떤 것으로 공격하는 것 같은가?

7. 하나님은 이 시대에도 누구를 찾고 계신가

너희는 예루살렘 거리로 빨리 다니며 그 넓은 거리에서 찾아보고 알라 너희가 만일 정의를 행하며 진리를 구하는 자를 한 사람이라도 찾으면 내가 이 성읍을

용서하리라_렘 5:1

6 예루살렘이여 내가 너의 성벽 위에 파수꾼을 세우고 그들로 하여금 주야로
계속 잠잠하지 않게 하였느니라 너희 여호와로 기억하시게 하는 자들아 너희
는 쉬지 말며 7 또 여호와께서 예루살렘을 세워 세상에서 찬송을 받게 하시기
까지 그로 쉬지 못하시게 하라_사 62:6-7

Q 하나님은 내가 어떤 비전 혹 사명을 가지고 살도록 하시는가?

8. 누가 기도해야 하는가

9. 누구를 위하여 기도해야 하는가

1) 나 자신

2) 가족

3) 교회

4) 성도들

모든 기도와 간구를 하되 항상 성령 안에서 기도하고 이를 위하여 깨어 구하기
를 항상 힘쓰며 여러 성도를 위하여 구하라_**엡 6:18**

5) 사역자

19 또 나를 위하여 구할 것은 내게 말씀을 주사 나로 입을 열어 복음의 비밀을
담대히 알리게 하옵소서 할 것이니 20 이 일을 위하여 내가 쇠사슬에 매인 사신
이 된 것은 나로 이 일에 당연히 할 말을 담대히 하게 하려 하심이라_**엡 6:19-20**

a. 나 자신을 위한 기도 제목

-
-
-

b. 가족을 위한 기도 제목

-
-
-

c. 교회를 위한 기도 제목

-
-
-

d. 아는 지체들을 위한 기도 제목

-
-
-

10. 우리가 기도할 때 누가 도우시는가

이와 같이 성령도 우리의 연약함을 도우시나니 우리는 마땅히 기도할 바를 알지 못하나 오직 성령이 말할 수 없는 탄식으로 우리를 위하여 친히 간구하시느니라_**롬 8:26**

11. 기도의 대상이 될 수 없는 존재는 누구인가

1) 하나님 외 다른 신

2) 마리아

3) 성인(聖人)

교황을 신격화하는 이단적 요소

1870년 바티칸회의에서 교황은 그리스도의 대리자로서 교회의 최고 통치자이고, 교황은 오류가 없다는 교황무오설이 선언되었다. 이 회의를 통해 교황무오설은 죄에 대한 형벌까지 면제해 줄 수 있는 권리인 교황면제권까지 말하고 있다. 그러나 성경 어디에도 죄 사함의 권세가 교황에게 있다는 말씀은 없다. 반대로, 교황이든 베드로든 모든 인간은 부패하고, 거짓을 말하는 죄인이라고 말씀하고 있다(렘 17:9, 시 14:2-3). 또한, 역사적 사실들이 교황무오설이 오류투성이임을 증명하고 있다. 교황들 중 여럿이 부도덕하여 간음, 남색, 성직매매, 강간, 살인을 일삼고 술에 취해 지냈다. 심지어 2015년 교황 프란체스코는 동성애를 옹호하고, 낙태를 찬성해 많은 지탄을 받았다.

성모 마리아 숭배의 이단적 요소

가톨릭은 마리아가 평생 처녀였다는 '마리아 종신 처녀설'을 주장하고 있다. 431년 에베소 공의회에서는 마리아가 하나님의 어머니였다고 공포하였다. 1854년 교황 피어스 9세는 마리아가 원죄에 물들지 않고 태어났다는 '마리아 무죄 잉태설'을 선포했다. 더 나아가 마리아는 죄 없는 삶을 살았다는 '마리아 평생 무죄설'을 주장했다. 또한 1950년 교황 피어스 12세는 마리아가 죽은 후 부활 승천했다는 '마리아 부활 승천설'을 선언했다.

이상의 내용들은 성경에 기반을 두지 않고 근거 없이 가톨릭이 조작하여 만들어낸 것들이다. 예수님이 우리의 완전한 중보자이신데 마리아가 필요할 만큼 부족한 것일까? 그리고 마리아가 어떻게 죄가 없는 존재일까? 성경을 보면 마리아가 예수님을 낳았고 예수님의 동생들이 있었는데 '마리아 종신 처녀설'은 대체 어디서 비롯된 것일까? 마태복음 13장 55절은 예수님의 형제들을 '야고보, 요셉, 시몬, 유다'라고 열거하고 있다.

이는 그 목수의 아들이 아니냐 그 어머니는 마리아, 그 형제들은 야고보, 요셉, 시몬, 유다라 하지 않느냐_**마 13:55**

12. 어떤 사람처럼 기도해야 하는가

1 예수께서 그들에게 항상 기도하고 낙심하지 말아야 할 것을 비유로 말씀하여
2 이르시되 어떤 도시에 하나님을 두려워하지 않고 사람을 무시하는 한 재판장
이 있는데 3 그 도시에 한 과부가 있어 자주 그에게 가서 내 원수에 대한 나의
원한을 풀어 주소서 하되 4 그가 얼마 동안 듣지 아니하다가 후에 속으로 생각
하되 내가 하나님을 두려워하지 않고 사람을 무시하나 5 이 과부가 나를 번거
롭게 하니 내가 그 원한을 풀어 주리라 그렇지 않으면 늘 와서 나를 괴롭게 하

리라 하였느니라 6 주께서 또 이르시되 불의한 재판장이 말한 것을 들으라 7 하
물며 하나님께서 그 밤낮 부르짖는 택하신 자들의 원한을 풀어 주지 아니하시
겠느냐 그들에게 오래 참으시겠느냐 8 내가 너희에게 이르노니 속히 그 원한을
풀어 주시리라 그러나 인자가 올 때에 세상에서 믿음을 보겠느냐 하시니라_눅
18:1-8

Q 언제 과부처럼 끈질긴 기도를 해 보았는가?

13. 기도의 대상은 누구인가

1) 핍박하는 자를 위한 기도

나는 너희에게 이르노니 너희 원수를 사랑하며 너희를 박해하는 자를 위하여 기도하라_마 5:44

2) 가족을 위한 기도

3) 기도가 필요한 지체를 위한 기도

Q 이번 주 내가 더 기도해야 할 대상은 누구인가?

과제

☑ 말씀암송

예레미야 33:3

너는 내게 부르짖으라 내가 네게 응답하겠고 네가 알지 못하는 크고 은밀한 일을 네게 보이리라

☑ 실천사항

9번 질문에서 나누었던

나, 가족, 교회, 아는 지체들을 위한

기도 제목을 위해 매일 기도하기

☑ 메모

What

chapter 2

기도의 정의, 내용, 유익

1. 기도를 무엇이라고 정의할 수 있는가

Q 자신의 말로 정의하여 적어 보라. 그리고 서로 나누어 보라!

기도를 이렇게 표현할 수 있다.

- 마음으로 하고 영으로 하는 하나님과의 깊은 대화
- 하나님과의 친교, 하나님을 가까이하는 것
- 하나님을 향하여 반응하고 움직이는 것
- 하나님과 대화하면서 하나님과 교제하는 것
- 하나님과 인격적으로 만나는 것
- 하나님을 향한 감사와 사랑을 고백하는 것
- 기쁨으로 주님께 아뢰는 것
- 사람의 무력함과 약함을 펼쳐놓는 것
- 목마른 사슴이 물을 찾듯 하나님을 찾는 것
- 내 소원이 아니라 주님의 뜻을 구하는 것

27 이는 사람으로 혹 하나님을 더듬어 찾아 발견하게 하려 하심이로되 그는 우
리 각 사람에게서 멀리 계시지 아니하도다 28 우리가 그를 힘입어 살며 기동하
며 존재하느니라 너희 시인 중 어떤 사람들의 말과 같이 우리가 그의 소생이라
하니_행 17:27-28

2. 기도란 무엇인가

- 가장 구체적인 ______ 실천의 장이다.
- 말씀과 함께 영적 전쟁 시 사용하는 강력한 무기이다.
- 날마다 스스로를 정화시키기 위해서 해야 하는 ______ 이다.
- 하나님 역사의 신성한 통로이다.

Q 기도를 통해 경험한 은혜 혹 축복은 무엇이 있는가?

3. 기도할 때 무엇을 간구해야 하는가

1) ________ 의 계시를 위해

빌립이 이르되 주여 아버지를 우리에게 보여 주옵소서 그리하면 족하겠나이다_ **요 14:8**

2) ________ 을 위해

오직 성령이 너희에게 임하시면 너희가 권능을 받고 예루살렘과 온 유대와 사마리아와 땅 끝까지 이르러 내 증인이 되리라 하시니라_ **행 1:8**

3) 지혜

5 너희 중에 누구든지 지혜가 부족하거든 모든 사람에게 후히 주시고 꾸짖지
아니하시는 하나님께 구하라 그리하면 주시리라 6 오직 믿음으로 구하고 조금
도 의심하지 말라 의심하는 자는 마치 바람에 밀려 요동하는 바다 물결 같으니
7 이런 사람은 무엇이든지 주께 얻기를 생각하지 말라 8 두 마음을 품어 모든 일
에 정함이 없는 자로다_ **약 1:5-8**

4) ________ 에서의 승리를 위해

그곳에 이르러 그들에게 이르시되 유혹에 빠지지 않게 기도하라 하시고_ **눅 22:40**

5) 　　　　 에 잘되고 강건하기를 위해

사랑하는 자여 네 영혼이 잘됨 같이 네가 범사에 잘되고 강건하기를 내가 간구하노라_ **요삼 1:2**

6) 비전 성취를 위해

너희 안에서 행하시는 이는 하나님이시니 자기의 기쁘신 뜻을 위하여 너희에게 소원을 두고 행하게 하시나니_ **빌 2:13**

7) 　　　　　　　　 의 감당을 위해

내가 진실로 진실로 네게 이르노니 네가 젊어서는 스스로 띠 띠고 원하는 곳으로 다녔거니와 늙어서는 네 팔을 벌리리니 남이 네게 띠 띠우고 원하지 아니하는 곳으로 데려가리라_ **요 21:18**

8) 육신의 소욕을 절제하기 위해

이는 세상에 있는 모든 것이 육신의 정욕과 안목의 정욕과 이생의 자랑이니 다 아버지께로부터 온 것이 아니요 세상으로부터 온 것이라_ **요일 2:16**

9) ________ 를 맺기 위해

22 오직 성령의 열매는 사랑과 희락과 화평과 오래 참음과 자비와 양선과 충성
과 23 온유와 절제니 이같은 것을 금지할 법이 없느니라_**갈 5:22-23**

---

10) 생명의 근원인 마음 지킴을 위해

모든 지킬 만한 것 중에 더욱 네 마음을 지키라 생명의 근원이 이에서 남이니
라_**잠 4:23**

---

11) ________ 를 경험하기 위해

15 하나님의 사람의 사환이 일찍이 일어나서 나가보니 군사와 말과 병거가 성
읍을 에워쌌는지라 그의 사환이 엘리사에게 말하되 아아, 내 주여 우리가 어찌
하리이까 하니 16 대답하되 두려워하지 말라 우리와 함께한 자가 그들과 함께
한 자보다 많으니라 하고 17 기도하여 이르되 여호와여 원하건대 그의 눈을 열
어서 보게 하옵소서 하니 여호와께서 그 청년의 눈을 여시매 그가 보니 불말과
불병거가 산에 가득하여 엘리사를 둘렀더라 18 아람 사람이 엘리사에게 내려오
매 엘리사가 여호와께 기도하여 이르되 원하건대 저 무리의 눈을 어둡게 하옵
소서 하매 엘리사의 말대로 그들의 눈을 어둡게 하신지라 19 엘리사가 그들에
게 이르되 이는 그 길이 아니요 이는 그 성읍도 아니니 나를 따라 오라 내가 너
희를 인도하여 너희가 찾는 사람에게로 나아가리라 하고 그들을 인도하여 사
마리아에 이르니라 20 사마리아에 들어갈 때에 엘리사가 이르되 여호와여 이
무리의 눈을 열어서 보게 하옵소서 하니 여호와께서 그들의 눈을 여시매 그들
이 보니 자기들이 사마리아 가운데에 있더라 21 이스라엘 왕이 그들을 보고 엘

리사에게 이르되 내 아버지여 내가 치리이까 내가 치리이까 하니 22 대답하되
치지 마소서 칼과 활로 사로잡은 자인들 어찌 치리이까 떡과 물을 그들 앞에 두
어 먹고 마시게 하고 그들의 주인에게로 돌려보내소서 하는지라 23 왕이 위하
여 음식을 많이 베풀고 그들이 먹고 마시매 놓아보내니 그들이 그들의 주인에
게로 돌아가니라 이로부터 아람 군사의 부대가 다시는 이스라엘 땅에 들어오
지 못하니라 24 이 후에 아람 왕 벤하닷이 그의 온 군대를 모아 올라와서 사마리
아를 에워싸니 25 아람 사람이 사마리아를 에워싸므로 성중이 크게 주려서 나
귀 머리 하나에 은 팔십 세겔이요 비둘기 똥 사분의 일 갑에 은 다섯 세겔이라
하니 26 이스라엘 왕이 성 위로 지나갈 때에 한 여인이 외쳐 이르되 나의 주 왕
이여 도우소서 27 왕이 이르되 여호와께서 너를 돕지 아니하시면 내가 무엇으
로 너를 도우랴 타작 마당으로 말미암아 하겠느냐 포도주 틀로 말미암아 하겠
느냐 하니라_**왕하 6:15-27**

12) 전신 갑주를 입기 위해

10 끝으로 너희가 주 안에서와 그 힘의 능력으로 강건하여지고 11 마귀의 간계
를 능히 대적하기 위하여 하나님의 전신 갑주를 입으라 12 우리의 씨름은 혈과
육을 상대하는 것이 아니요 통치자들과 권세들과 이 어둠의 세상 주관자들과
하늘에 있는 악의 영들을 상대함이라 13 그러므로 하나님의 전신 갑주를 취하
라 이는 악한 날에 너희가 능히 대적하고 모든 일을 행한 후에 서기 위함이라
14 그런즉 서서 진리로 너희 허리 띠를 띠고 의의 호심경을 붙이고 15 평안의 복
음이 준비한 것으로 신을 신고 16 모든 것 위에 믿음의 방패를 가지고 이로써 능
히 악한 자의 모든 불화살을 소멸하고 17 구원의 투구와 성령의 검 곧 하나님의
말씀을 가지라_**엡 6:10-17**

5. 기도자가 누리는 유익은 무엇인가

1) 아브라함 – 창세기 18장

2) 엘리야 – 열왕기상 18장

3) 사무엘 – 사무엘상 15장

Q 어떤 놀라운 역사가 일어나도록 기도하고 있는가?

6. 기도가 주는 영적으로 좋은 점은 무엇인가

1) 하나님과의 교제를 통해 대화를 깊게 한다

2) 기도는 하나님과의 일치로 이끌어 준다

3) 기도는 하나님을 체험하게 한다

4) 자신의 일보다 하나님의 뜻에 더 중점을 두게 한다

5) 기도는 올바른 길로 걷게 한다

6) 기도는 하나님께 사로잡혀 변화되게 한다

7) 기도는 자신의 시간을 내어 드려 주님이 디자인하시게 한다

8) 기도는 시험에 빠지지 않게 한다

9) 선을 행하도록 한다

10) 내적 평안을 준다

7. 기도는 무엇을 얻게 하는가

1) ________ 을 얻게 한다

2) 소망을 얻게 한다

3) ________ 을 얻게 한다

8. 요즘 여러분이 놓고 기도하는 영혼의 이름과 무엇을 위해 기도해야 할지 적어 보라!

1)

2)

3)

4)

5)

---

9. 우리는 무슨 싸움을 하고 있는가

> 우리의 씨름은 혈과 육을 상대하는 것이 아니요 통치자들과 권세자들과 이 어둠의 세상 주관자들과 하늘에 있는 악의 영들을 상대함이라_**엡 6:12**

우리가 기도해야 하는 이유는 우리는 눈에 ______ 싸움이 아니라 ______ 않는 영적 싸움을 하고 있기 때문이다!

Q 나 자신이 요즘 믿음의 삶을 살기 위해 싸우고 있는 부분은 무엇인가?

10. 기도할 때 주시는 축복은 무엇인가

1) 하나님과 가까워질 수 있다

> 여호와 앞에 그대로 섰더니 가까이 나아가_**창 18:22-23**
> 모세가 여호와께 아뢰되 보시옵소서_**출 33:12**
> 이 존귀는 아무도 스스로 취하지 못하고 오직 아론과 같이 하나님의 부르심을 받은 자라야 할 것이니라_**히 5:4**

2) 하나님의 ______ 과 가까워질 수 있다

예) 다니엘과 그의 친구들 (사드락과 메삭과 아벳느고)

3) ______ 에게 담대히 나아갈 수 있다

예) 아브라함, 예레미야, 느헤미야, 에스더, 다니엘

11. 기도하는 가정에 오는 축복은 무엇인가

1) ______ 가 없다

2) 사랑하는 가족을 자신의 뜻대로 하려고 하지 않는다

3) 하나님 안에서 영적으로 보호를 받게 된다

12. 요즘 주님이 기도하게 하시는 내용은 무엇인가

1)

2)

3)

Q 우리 가정이 어떤 가정이 되면 좋을지 기도문을 작성해 보라!

과제

말씀암송

에베소서 6:12

우리의 씨름은 혈과 육을 상대하는 것이 아니요
통치자들과 권세들과 이 어둠의 세상 주관자들과
하늘에 있는 악의 영들을 상대함이라

실천사항

8번에서 나눈 기도 제목을 위해 매일 기도하기

메모

How

chapter 3

기도의 방법과 노하우

1. 기도의 단계는 어떻게 되는가

- 경배의 기도
- 감사의 기도
- 회개의 기도
- 고백의 기도
- 청원의 기도

2. 누구의 이름으로 어떻게 기도해야 하는가

베드로가 이르되 은과 금은 내게 없거니와 내게 있는 이것을 네게 주노니 나사렛 예수 그리스도의 이름으로 일어나 걸으라 하고_**행 3:6**

3. 양자의 영을 받아 어떻게 기도해야 하는가

1) 로마서 8:15-16

15 너희는 다시 무서워하는 종의 영을 받지 아니하고 양자의 영을 받았으므로
우리가 아빠 아버지라고 부르짖느니라 **16** 성령이 친히 우리의 영과 더불어 우
리가 하나님의 자녀인 것을 증언하시나니

2) 유다서 1:20

사랑하는 자들아 너희는 너희의 지극히 거룩한 믿음 위에 자신을 세우며 성령으로 기도하며

4. 어떻게 기도해야 하는가

1) 아버지의 뜻대로 기도하기

41 그들을 떠나 돌 던질 만큼 가서 무릎을 꿇고 기도하여 42 이르시되 아버지여
만일 아버지의 뜻이거든 이 잔을 내게서 옮기시옵소서 그러나 내 원대로 마시
옵고 아버지의 원대로 되기를 원하나이다 하시니_눅 22:41-42

2) 최소 세 번 이상 기도하기

예수님

36 이에 예수께서 제자들과 함께 겟세마네라 하는 곳에 이르러 제자들에게 이
르시되 내가 저기 가서 기도할 동안에 너희는 여기 앉아 있으라 하시고 37 베드
로와 세베대의 두 아들을 데리고 가실새 고민하고 슬퍼하사 38 이에 말씀하시

되 내 마음이 매우 고민하여 죽게 되었으니 너희는 여기 머물러 나와 함께 깨
어 있으라 하시고 39 조금 나아가사 얼굴을 땅에 대시고 엎드려 기도하여 이르
시되 내 아버지여 만일 할 만하시거든 이 잔을 내게서 지나가게 하옵소서 그러
나 나의 원대로 마시옵고 아버지의 원대로 하옵소서 하시고 40 제자들에게 오
사 그 자는 것을 보시고 베드로에게 말씀하시되 너희가 나와 함께 한 시간도 이
렇게 깨어 있을 수 없더냐 41 시험에 들지 않게 깨어 기도하라 마음에는 원이로
되 육신이 약하도다 하시고 42 다시 두 번째 나아가 기도하여 이르시되 내 아버
지여 만일 내가 마시지 않고는 이 잔이 내게서 지나갈 수 없거든 아버지의 원대
로 되기를 원하나이다 하시고 43 다시 오사 보신즉 그들이 자니 이는 그들의 눈
이 피곤함일러라 44 또 그들을 두시고 나아가 세 번째 같은 말씀으로 기도하신
후 45 이에 제자들에게 오사 이르시되 이제는 자고 쉬라 보라 때가 가까이 왔으
니 인자가 죄인의 손에 팔리느니라 46 일어나라 함께 가자 보라 나를 파는 자가
가까이 왔느니라_**마 26:36-46**

바울

7 여러 계시를 받은 것이 지극히 크므로 너무 자만하지 않게 하시려고 내 육체
에 가시 곧 사탄의 사자를 주셨으니 이는 나를 쳐서 너무 자만하지 않게 하려 하
심이라 8 이것이 내게서 떠나가게 하기 위하여 내가 세 번 주께 간구하였더니 9
나에게 이르시기를 내 은혜가 네게 족하도다 이는 내 능력이 약한 데서 온전하여
짐이라 하신지라 그러므로 도리어 크게 기뻐함으로 나의 여러 약한 것들에 대하
여 자랑하리니 이는 그리스도의 능력이 내게 머물게 하려 함이라_**고후 12:7-9**

엘리야

일곱 번째 이르러서는 그가 말하되 바다에서 사람의 손 만한 작은 구름이 일어나나이다 이르되 올라가 아합에게 말하기를 비에 막히지 아니하도록 마차를 갖추고 내려가소서 하라 하니라_**왕상 18:44**

5. 몇 명이서 어떻게 기도해야 하는가

1) 골방에서

너는 기도할 때에 네 골방에 들어가 문을 닫고 은밀한 중에 계신 네 아버지께 기도하라 은밀한 중에 보시는 네 아버지께서 갚으시리라_**마 6:6**

2) 주님의 이름으로 모여서

두세 사람이 내 이름으로 모인 곳에는 나도 그들 중에 있느니라_**마 18:20**

3) 함께 모여서

12 제자들이 감람원이라 하는 산으로부터 예루살렘에 돌아오니 이 산은 예루
살렘에서 가까워 안식일에 가기 알맞은 길이라 13 들어가 그들이 유하는 다락
방으로 올라가니 베드로, 요한, 야고보, 안드레와 빌립, 도마와 바돌로매, 마태
와 및 알패오의 아들 야고보, 셀롯인 시몬, 야고보의 아들 유다가 다 거기 있어
14 여자들과 예수의 어머니 마리아와 예수의 아우들과 더불어 마음을 같이하여
오로지 기도에 힘쓰더라_**행 1:12-14**

6. 기도할 때 어떻게 열정적으로 기도해야 하는가

아합이 먹고 마시러 올라가니라 엘리야가 갈멜 산 꼭대기로 올라가서 땅에 꿇어 엎드려 그의 얼굴을 무릎 사이에 넣고_**왕상 18:42**

그는 육체에 계실 때에 자기를 죽음에서 능히 구원하실 이에게 심한 통곡과 눈물로 간구와 소원을 올렸고 그의 경건하심으로 말미암아 들으심을 얻었느니라_**히 5:7**

예수께서 힘쓰고 애써 더욱 간절히 기도하시니 땀이 땅에 떨어지는 핏방울 같이 되더라_**눅 22:44**

7. 응답받는 기도를 드리려면 어떻게 해야 하는가

4 내 안에 거하라 나도 너희 안에 거하리라 가지가 포도나무에 붙어 있지 아니
하면 스스로 열매를 맺을 수 없음 같이 너희도 내 안에 있지 아니하면 그러하리
라 **5** 나는 포도나무요 너희는 가지라 그가 내 안에, 내가 그 안에 거하면 사람이
열매를 많이 맺나니 나를 떠나서는 너희가 아무것도 할 수 없음이라 **6** 사람이
내 안에 거하지 아니하면 가지처럼 밖에 버려져 마르나니 사람들이 그것을 모
아다가 불에 던져 사르느니라_**요 15:4-6**

8. 믿음의 조상들은 어떻게 기도하였는가

1) 모세의 기도

11 모세가 그의 하나님 여호와께 구하여 이르되 여호와여 어찌하여 그 큰 권능
과 강한 손으로 애굽 땅에서 인도하여 내신 주의 백성에게 진노하시나이까 12
어찌하여 애굽 사람들이 이르기를 여호와가 자기의 백성을 산에서 죽이고 지
면에서 진멸하려는 악한 의도로 인도해 내었다고 말하게 하시려 하나이까 주
의 맹렬한 노를 그치시고 뜻을 돌이키사 주의 백성에게 이 화를 내리지 마옵소
서_**출 32:11-12**

2) 하박국 선지자의 기도

1 시기오놋에 맞춘 선지자 하박국의 기도라 2 여호와여 내가 주께 대한 소문을
듣고 놀랐나이다 여호와여 주는 주의 일을 이 수년 내에 부흥하게 하옵소서 이
수년 내에 나타내시옵소서 진노 중에라도 긍휼을 잊지 마옵소서_**합 3:1-2**

3) 사도 바울의 민족을 위한 마음과 기도

1 그러므로 내가 말하노니 하나님이 자기 백성을 버리셨느냐 그럴 수 없느니
라 나도 이스라엘인이요 아브라함의 씨에서 난 자요 베냐민 지파라 2 하나님이
그 미리 아신 자기 백성을 버리지 아니하셨나니 너희가 성경이 엘리야를 가리
켜 말한 것을 알지 못하느냐 그가 이스라엘을 하나님께 고발하되 3 주여 그들
이 주의 선지자들을 죽였으며 주의 제단들을 헐어 버렸고 나만 남았는데 내 목
숨도 찾나이다 하니 4 그에게 하신 대답이 무엇이냐 내가 나를 위하여 바알에
게 무릎을 꿇지 아니한 사람 칠천 명을 남겨 두었다 하셨으니 5 그런즉 이와 같

이 지금도 은혜로 택하심을 따라 남은 자가 있느니라_**롬 11:1-5**

9. 병든 자를 위해 어떻게 기도해야 하는가

> **14** 너희 중에 병든 자가 있느냐 그는 교회의 장로들을 청할 것이요 그들은 주의
> 이름으로 기름을 바르며 그를 위하여 기도할지니라 **15** 믿음의 기도는 병든 자
> 를 구원하리니 주께서 그를 일으키시리라 혹시 죄를 범하였을지라도 사하심을
> 받으리라 **16** 그러므로 너희 죄를 서로 고백하며 병이 낫기를 위하여 서로 기도
> 하라 의인의 간구는 역사하는 힘이 큼이니라_**약 5:14-16**

- 병든 자는 교회의 장로들에게 기도 요청을 해야 한다.
- 장로들은 기름을 바르고, 기도해야 한다.
- 이렇게 기도할 때 죄를 범하였을지라도 사함을 받게 된다.
- 죄를 서로 고백하고, 병 낫기를 위해서도 서로 기도해야 한다.

10. 엘리야는 어떻게 우리와 같은 사람이었는데 더 놀랍게 기도 응답을 받았는가

> **17** 엘리야는 우리와 성정이 같은 사람이로되 그가 비가 오지 않기를 간절히 기
> 도한즉 삼 년 육 개월 동안 땅에 비가 오지 아니하고 **18** 다시 기도하니 하늘이
> 비를 주고 땅이 열매를 맺었느니라_**약 5:17-18**

아합이 먹고 마시러 올라가니라 엘리야가 갈멜산 꼭대기로 올라가서 땅에 꿇어 엎드려 그의 얼굴을 무릎 사이에 넣고_**왕상 18:42**

- 엘리야는 갈멜산 꼭대기로 올라갔다.
- 땅에 꿇어 엎드렸다.
- 그 얼굴을 무릎 사이에 넣었다.

11. 기도의 모습들은 어떠하였는가

1) 서서 기도

만일 재앙이나 난리나 견책이나 전염병이나 기근이 우리에게 임하면 주의 이름이 이 성전에 있으니 우리가 이 성전 앞과 주 앞에 서서 이 환난 가운데에서 주께 부르짖은즉 들으시고 구원하시리라 하였나이다_**대하 20:9**

서서 기도할 때에 아무에게나 혐의가 있거든 용서하라 그리하여야 하늘에 계신 너희 아버지께서도 너희 허물을 사하여 주시리라 하시니라_**막 11:25**

2) 손을 들고 기도

그러므로 각처에서 남자들이 분노와 다툼이 없이 거룩한 손을 들어 기도하기를 원하노라_**딤전 2:8**

예수께서 그들을 데리고 베다니 앞까지 나가사 손을 들어 그들에게 축복하시더니_눅 24:50

3) 하늘을 우러러보며 기도

돌을 옮겨 놓으니 예수께서 눈을 들어 우러러보시고 이르시되 아버지여 내 말을 들으신 것을 감사하나이다_요 11:41

예수께서 이 말씀을 하시고 눈을 들어 하늘을 우러러 이르시되 아버지여 때가 이르렀사오니 아들을 영화롭게 하사 아들로 아버지를 영화롭게 하게 하옵소서_요 17:1

4) 땅에 앉아서 기도

다윗 왕이 여호와 앞에 들어가 앉아서 이르되 주 여호와여 나는 누구이오며 내 집은 무엇이기에 나를 여기까지 이르게 하셨나이까_삼하 7:18

5) 무릎을 꿇고 기도

베드로가 사람을 다 내보내고 무릎을 꿇고 기도하고 돌이켜 시체를 향하여 이르되 다비다야 일어나라 하니 그가 눈을 떠 베드로를 보고 일어나 앉는지라_행 9:40

이 말을 한 후 무릎을 꿇고 그 모든 사람들과 함께 기도하니_행 20:36

41 그들을 떠나 돌 던질 만큼 가서 무릎을 꿇고 기도하여 42 이르시되 아버지여
만일 아버지의 뜻이거든 이 잔을 내게서 옮기시옵소서 그러나 내 원대로 마시
옵고 아버지의 원대로 되기를 원하나이다 하시니_눅 22:41-42

6) 옷을 찢고 재를 쓰고 기도

1 모르드개가 이 모든 일을 알고 자기의 옷을 찢고 굵은 베 옷을 입고 재를 뒤집어쓰고 성중에 나가서 대성 통곡하며_**에 4:1**

7) 통곡과 눈물로 기도

악을 행하는 너희는 다 나를 떠나라 여호와께서 내 울음 소리를 들으셨도다_**시 6:8**

8) 벽을 마주 보면서 기도

히스기야가 낯을 벽으로 향하고 여호와께 기도하여 이르되_**왕하 20:2**

9) 가슴을 치면서 기도

그 도시에 한 과부가 있어 자주 그에게 가서 내 원수에 대한 나의 원한을 풀어주소서 하되_**눅 18:3**

10) 탄식하여 곤고함으로 밤마다 눈물로 기도

내가 탄식함으로 피곤하여 밤마다 눈물로 내 침상을 띄우며 내 요를 적시나이다_**시 6:6**

11) 엎드려 기도

조금 나아가사 땅에 엎드리어 될 수 있는 대로 이 때가 자기에게서 지나가기를 구하여_**막 14:35**

12) 속으로 말하며 기도

한나가 속으로 말하매 입술만 움직이고 음성은 들리지 아니하므로 엘리는 그가 취한 줄로 생각한지라_**삼상 1:13**

4 너희는 떨며 범죄하지 말지어다 자리에 누워 심중에 말하고 잠잠할지어다
(셀라) 5 의의 제사를 드리고 여호와를 의지할지어다_**시 4:4-5**

13) 금식하며 베옷을 입고 기도

내가 금식하며 베옷을 입고 재를 덮어쓰고 주 하나님께 기도하며 간구하기를 결심하고_**단 9:3**

14) 두 귀에 손가락을 넣고, 침을 뱉으며 그의 혀에 손을 대어 기도

32 사람들이 귀 먹고 말 더듬는 자를 데리고 예수께 나아와 안수하여 주시기를
간구하거늘 33 예수께서 그 사람을 따로 데리고 무리를 떠나사 손가락을 그의
양 귀에 넣고 침을 뱉어 그의 혀에 손을 대시며 34 하늘을 우러러 탄식하시며 그
에게 이르시되 에바다 하시니 이는 열리라는 뜻이라_**막 7:32-34**

12. 누구의 이름으로 기도해야 하는가

그날에는 너희가 아무것도 내게 묻지 아니하리라 내가 진실로 진실로 너희에게 이르노니 너희가 무엇이든지 아버지께 구하는 것을 내 이름으로 주시리라_**요 16:23**

13. 기도하는 자는 어떻게 살아야 하는가

유월절 전에 예수께서 자기가 세상을 떠나 아버지께로 돌아가실 때가 이른 줄 아시고 세상에 있는 자기 사람들을 사랑하시되 끝까지 사랑하시니라_요 13:1

14. 기도의 모범은 어떻게 기도하라고 하는가

- 주님의 이름을 부름

- 주님을 위한 청원들 세 가지

• 우리를 위한 청원들 세 가지

• 송영

15. 요한계시록은 성도의 기도가 어떻게 상달된다고 하는가

1 일곱째 인을 떼실 때에 하늘이 반 시간쯤 고요하더니 2 내가 보매 하나님 앞에
일곱 천사가 서 있어 일곱 나팔을 받았더라 3 또 다른 천사가 와서 제단 곁에 서
서 금 향로를 가지고 많은 향을 받았으니 이는 모든 성도의 기도와 합하여 보좌
앞 금 제단에 드리고자 함이라 4 향연이 성도의 기도와 함께 천사의 손으로부
터 하나님 앞으로 올라가는지라_**계 8:1-4**

16. 기도를 효과적으로 하려면 어떻게 해야 하는가

1) 기도 제목들을 기록해야 한다

a. 민족을 위한 기도 제목 3가지!

b. 교회를 위한 기도 제목 3가지!

c. 가정을 위한 기도 제목 3가지!

2) 합심해서 기도하는 시간을 갖는다

3) 때로 부르짖으며 기도한다

4) 믿고 간구한다

5) 정욕과 욕심으로 간구하지 않는다

Q 요즘 성령님이 지적하시고 생각나게 하시는 죄를 회개하고 있는가?

17. 성숙하게 기도하기 위해서는 어떻게 기도해야 하는가

1) 주님의 의를 먼저 구해야 한다

그런즉 너희는 먼저 그의 나라와 그의 의를 구하라 그리하면 이 모든 것을 너희에게 더하시리라_**마 6:33**

2) 아버지의 뜻이 이루어지도록 기도해야 한다

나의 원대로 마시옵고 아버지의 원대로 하옵소서_**마 26:39**

3) 하나님을 만날 만한 때에 찾아야 한다

너희는 여호와를 만날 만한 때에 찾으라 가까이 계실 때에 그를 부르라_**사 55:6**

18. 모세와 여호수아는 어떻게 기도할 때 승리하였는가

모세가 손을 들면 ＿＿＿＿ 이 이기고 손을 내리면 ＿＿＿＿ 이 이기더니_**출 17:11**

기도는 영적으로 기도만 하는 것이 아니라 실제로 삶에서 싸우는 싸움도 있어야 한다. 조지 뮬러는 한 가지 중요한 빈곤이 있는데 그것은 "＿＿＿＿ 의 빈곤"이라고 하였다.

과제

☑ 말씀암송

마태복음 18:20

두세 사람이 내 이름으로 모인 곳에는

나도 그들 중에 있느니라

☑ 실천사항

16번 질문에서 배우고 나눈 내용으로

두세 명이 짝을 지어 기도하기

- ☐ 민족을 위한 기도 제목 3가지
- ☐ 교회를 위한 기도 제목 3가지
- ☐ 가정을 위한 기도 제목 3가지

합심하여 부르짖으며 기도하는 시간을 갖는다.

☑ 메모

chapter 4

Why

기도의 이유

1. 왜 기도해야 하는가

1) 하나님의 생각을 알기 위해

8 이는 내 생각이 너희의 생각과 다르며 내 길은 너희의 길과 다름이니라 여호
와의 말씀이니라 9 이는 하늘이 땅보다 높음 같이 내 길은 너희의 길보다 높으
며 내 생각은 너희의 생각보다 높음이니라_**사 55:8-9**

2) 되기 위해

18 나의 하나님이여 귀를 기울여 들으시며 눈을 떠서 우리의 황폐한 상황과 주
의 이름으로 일컫는 성을 보옵소서 우리가 주 앞에 간구하옵는 것은 우리의 공
의를 의지하여 하는 것이 아니요 주의 큰 긍휼을 의지하여 함이니이다 19 주여
들으소서 주여 용서하소서 주여 귀를 기울이시고 행하소서 지체하지 마옵소서
나의 하나님이여 주 자신을 위하여 하시옵소서 이는 주의 성과 주의 백성이 주
의 이름으로 일컫는 바 됨이니이다_**단 9:18-19**

3) 를 사랑하고, 박해하는 자를 위해

나는 너희에게 이르노니 너희 원수를 사랑하며 너희를 박해하는 자를 위하여 기도하라_**마 5:44**

4) 시험에 들지 않기 위해

시험에 들지 않게 깨어 기도하라 마음에는 원이로되 육신이 약하도다 하시고_**마 26:41**

그렇다면 왜 사람은 시험에 드는가?

욕심이 잉태한즉 죄를 낳고 죄가 장성한즉 사망을 낳느니라_**약 1:15**

그런데 너희는 이르기를 주의 길이 공평하지 아니하다 하는도다 이스라엘 족속아 들을지어다 내 길이 어찌 공평하지 아니하냐 너희 길이 공평하지 아니한 것이 아니냐_**겔 18:25**

5) ________ 하기 위해

서서 기도할 때에 아무에게나 혐의가 있거든 용서하라 그리하여야 하늘에 계신 너희 아버지께서도 너희 허물을 사하여 주시리라 하시니라_**막 11:25**

6) 다투고, 싸우는 정욕을 따라 살지 않기 위해

너희 중에 싸움이 어디로부터 다툼이 어디로부터 나느냐 너희 지체 중에서 싸우는 정욕으로부터 나는 것이 아니냐_**약 4:1**

7) ______ 이 떨어지지 않기 위해

그러나 내가 너를 위하여 네 믿음이 떨어지지 않기를 기도하였노니 너는 돌이킨 후에 네 형제를 굳게 하라_**눅 22:32**

8) 성령 충만을 위해

여자들과 예수의 어머니 마리아와 예수의 아우들과 더불어 마음을 같이하여 오로지 기도에 힘쓰더라_**행 1:14**

9) ______ 하기 위해

그러므로 너의 이 악함을 회개하고 주께 기도하라 혹 마음에 품은 것을 사하여

주시리라_**행 8:22**

10) 염려하지 않도록 하기 위해

아무것도 염려하지 말고 다만 모든 일에 기도와 간구로, 너희 구할 것을 감사함으로 하나님께 아뢰라_**빌 4:6**

11) ______ 하기 위해

기도를 계속하고 기도에 감사함으로 깨어 있으라_**골 4:2**

12) 거룩하기 위해

13) ______ 을 내쫓기 위해

28 집에 들어가시매 제자들이 조용히 묻자오되 우리는 어찌하여 능히 그 귀신
을 쫓아내지 못하였나이까 29 이르시되 기도 외에 다른 것으로는 이런 종류가
나갈 수 없느니라 하시니라_**막 9:28-29**

14) 병자가 낫도록 하기 위해

그러므로 너희 죄를 서로 고백하며 병이 낫기를 위하여 서로 기도하라 의인의 간구는 역사하는 힘이 큼이니라_**약 5:16**

2. 왜 우리는 기도할 수 있는가

그를 향하여 우리가 가진 바 담대함이 이것이니 그의 뜻대로 무엇을 구하면 들으심이라_**요일 5:14**

3. 예수님은 왜 기도하라고 명령하셨는가

시험에 들지 않게 깨어 기도하라 마음에는 원이로되 육신이 약하도다 하시고_마 26:41

4. 욥은 왜 자신과 자신의 자녀들을 위해 번제의 예배를 드렸는가

그들이 차례대로 잔치를 끝내면 욥이 그들을 불러다가 성결하게 하되 아침에 일어나서 그들의 명수대로 번제를 드렸으니 이는 욥이 말하기를 혹시 내 아들들이 죄를 범하여 마음으로 하나님을 욕되게 하였을까 함이라 욥의 행위가 항상 이러하였더라_욥 1:5

5. 예수님은 십자가에서 돌아가실 때 왜 자신을 위해 울지 말라고 하셨는가

예수께서 돌이켜 그들을 향하여 이르시되 예루살렘의 딸들아 나를 위하여 울지 말고 너희와 너희 자녀를 위하여 울라_눅 23:28

6. 왜 주님은 예수님의 이름으로 기도할 때 그 기도를 받으시는가

13 너희가 내 이름으로 무엇을 구하든지 내가 행하리니 이는 아버지로 하여금
아들로 말미암아 영광을 받으시게 하려 함이라 14 내 이름으로 무엇이든지 내
게 구하면 내가 행하리라_요 14:13-14

---

7. 왜 하나님은 기도를 들어주셔야 하는가

- 하나님과의 ____ 과 그 약속하신 체면 때문
- 하나님은 아빠 아버지이기 때문
- 하나님은 기도를 듣고, ____ 하기를 기뻐하시기 때문

8. 왜 기도의 자리에 머물러야 하는가

5 내가 주께 대하여 귀로 듣기만 하였사오나 이제는 눈으로 주를 뵈옵나이다 6
그러므로 내가 스스로 거두어들이고 티끌과 재 가운데에서 회개하나이다_욥
42:5-6

주 여호와의 말씀이니라 이스라엘 족속아 내가 너희 각 사람이 행한 대로 심판할지라 너희는 돌이켜 회개하고 모든 죄에서 떠날지어다 그리한즉 그것이 너희에게 죄악의 걸림돌이 되지 아니하리라_**겔 18:30**

9. 왜 기도 응답을 받지 못하는가

1 너희 중에 싸움이 어디로부터 다툼이 어디로부터 나느냐 너희 지체 중에서
싸우는 정욕으로부터 나는 것이 아니냐 2 너희는 욕심을 내어도 얻지 못하여
살인하며 시기하여도 능히 취하지 못하므로 다투고 싸우는도다 너희가 얻지
못함은 구하지 아니하기 때문이요 3 구하여도 받지 못함은 정욕으로 쓰려고 잘
못 구하기 때문이라_**약 4:1-3**

- ______ 으로 구하여서
- 욕심을 내어서
- ______ 해서
- 다투고 싸워서
- 하나님의 ______ 을 구하지 않아서

10. 왜 근심하지 않고 기도해야 하는가

11. 왜 작정기도를 해야 하는가

1) 죽으면 죽으리라

에스더

당신은 가서 수산에 있는 유다인을 다 모으고 나를 위하여 금식하되 밤낮 삼 일을 먹지도 말고 마시지도 마소서 나도 나의 시녀와 더불어 이렇게 금식한 후에 규례를 어기고 왕에게 나아가리니 죽으면 죽으리이다 하니라_에 4:16

2) 나와 내 집은 여호와를 섬기리라

여호수아

만일 여호와를 섬기는 것이 너희에게 좋지 않게 보이거든 너희 조상들이 강 저쪽에서 섬기던 신들이든지 또는 너희가 거주하는 땅에 있는 아모리 족속의 신들이든지 너희가 섬길 자를 오늘 택하라 오직 나와 내 집은 여호와를 섬기겠노라 하니_수 24:15

3) 내가 새벽을 깨우리로다

다윗

내 영광아 깰지어다 비파야, 수금아, 깰지어다 내가 새벽을 깨우리로다_시 57:8

Q 인생을 살면서 언제 하나님 앞에
결단하고, 작정하며 기도하였는가?

12. 왜 기도를 쉬는 것이 죄가 되는가

나는 너희를 위하여 기도하기를 쉬는 죄를 여호와 앞에 결단코 범하지 아니하고 선하고 의로운 길을 너희에게 가르칠 것인즉_**삼상 12:23**

13. 왜 두세 사람이 모여서 기도해야 하는가

진실로 다시 너희에게 이르노니 너희 중의 두 사람이 땅에서 합심하여 무엇이든지 구하면 하늘에 계신 내 아버지께서 그들을 위하여 이루게 하시리라 두세 사람이 내 이름으로 모인 곳에는 나도 그들 중에 있느니라_**마 18:19-20**

과제

말씀암송

골로새서 4:2

기도를 계속하고 기도에 감사함으로 깨어 있으라

실천사항

매일 구별된 시간을 만들고 기도하기

시간 :

메모

When

chapter 5

기도의 시간과 타이밍

1. 여러분은 보통 언제 기도하는가, 그 시간을 적으라!

2. 성경은 기도를 언제 하였다고 하는가

1) 새벽 아직 밝기도 전에

새벽 아직도 밝기 전에 예수께서 일어나 나가 한적한 곳으로 가사 거기서 기도하시더니_**막 1:35**

2) 아침에

여호와여 아침에 주께서 나의 소리를 들으시리니 아침에 내가 주께 기도하고 바라리이다_**시 5:3**

3) 제 6시에 (오후 12시)

이튿날 그들이 길을 가다가 그 성에 가까이 갔을 그때에 베드로가 기도하려고 지붕에 올라가니 그 시각은 제 육 시더라_**행 10:9**

4) 제 9시에 (오후 3시)

제 구 시 기도 시간에 베드로와 요한이 성전에 올라갈새_**행 3:1**

---

5) 밤에

밤에 내 영혼이 주를 사모하였사온즉 내 중심이 주를 간절히 구하오리니 이는 주께서 땅에서 심판하시는 때에 세계의 거민이 의를 배움이니이다_**사 26:9**

6) 밤새도록

이때에 예수께서 기도하시러 산으로 가사 밤이 새도록 하나님께 기도하시고_**눅 6:12**

7) 밤낮으로

내가 밤낮 간구하는 가운데 쉬지 않고 너를 생각하여 청결한 양심으로 조상적부터 섬겨 오는 하나님께 감사하고_**딤후 1:3**

8) 아침, 점심, 저녁, 하루 세 번

다니엘이 이 조서에 왕의 도장이 찍힌 것을 알고도 자기 집에 돌아가서는 윗방에 올라가 예루살렘으로 향한 창문을 열고 전에 하던 대로 하루 세 번씩 무릎을 꿇고 기도하며 그의 하나님께 감사하였더라_**단 6:10**

9) 항상, 쉬지 않고

쉬지 말고 기도하라_**살전 5:17**

10) 운명하는 순간까지

무릎을 꿇고 크게 불러 이르되 주여 이 죄를 그들에게 돌리지 마옵소서 이 말을 하고 자니라_행 7:60

Q 새벽 혹 밤 언제 기도하는 시간을 갖고 있는가?
하루에 기도하는 시간은 몇 분 정도 되는가?

기도의 다짐

나 [ ]는(은) 앞으로

매일 [:]부터 [:]까지

하루 [ ]분 기도하기를 결단합니다!

이름: ____________________ (서명)

3. 언제 기도해야 하는가

- 환난 중에
- 고난 중에
- 시험 중에
- 핍박 중에
- 전쟁 중에
- 논쟁 중에

- 낙담 중에
- 욕심날 때
- 영적 전쟁 때
- 가난할 때
- 비참할 때
- 질투 날 때
- 우울할 때
- 두려울 때
- 질병에 걸렸을 때
- 관계가 안 좋을 때
- 사랑하는 사람을 잃었을 때
- 중대한 결정을 하기 전에

Q 어떤 상황이 다가올 때 당신은 가장 기도하기 힘든가?

4. 믿음의 인물은 언제 기도하였는가

요나가 물고기 뱃속에서 그의 하나님 여호와께 기도하여_욘 2:1

우리가 바벨론의 여러 강변 거기에 앉아서 시온을 기억하며 울었도다_시 137:1

한밤중에 바울과 실라가 기도하고 하나님을 찬송하매 죄수들이 듣더라_**행 16:25**

5. 언제 기도하고, 언제 찬송해야 하는가

너희 중에 고난 당하는 자가 있느냐 그는 기도할 것이요 즐거워하는 자가 있느냐 그는 찬송할지니라_**약 5:13**

6. 언제까지 기도하고 인내해야 하는가

시니어 제자 훈련자의 간증

여호와께서는 죄악에 빠져 타락한 유다 백성을 다 멸망시키고 싶으셨지만 그 깊은 사랑이 있었기에 남은 그루터기를 거룩한 자손으로 자라게 하셨습니다.

그 용서와 깊은 사랑을 어떻게 헤아릴 수 있겠습니까?

저도 하나의 그루터기가 되어 하나님의 영광의 통로로 쓰임 받는 모습으로 살게 하여 주시옵소서. 성령님께서 저에게 말씀하십니다.

"지한아! 너는 몸무게가 80kg이나 되는 건장한 몸을 갖고 있었지. 너는 건강에 누구보다 자신 있었고, 자만에 차 있었지. 그러나 너의 몸이 속에서 썩어져 가는 것을 느끼지 못하고 있었지.

어느 날 갑자기 숨조차 쉴 수 없을 정도로 망가져 있음을 뒤늦게 너는 깨달았지. 아내의 부축을 받으며 대학병원에 갔지.

그때 너의 몸무게가 69kg으로 빠져서 네가 입은 양복은 어린이가 양복을 입은 모습과 다를 바가 없었지.

천식, 기관지, 심장, 폐 등 정상적인 것은 하나도 없었지. 너는 너의 생명의 등불이 꺼져 가는 것은 아닌가 하는 두려운 생각으로 가득차 있었지.

만나는 사람마다 그 건장한 모습에서 수척하고 초췌해진 너의 모습을 보고 '오래 살 것 같지 않군' 하고 말로는 못하고 속으로는 다 그렇게들 생각했었지. 그래도 너는 정신을 차리지 못하고, 하나님께로 돌아올 생각을 하지 않고 있었지. 하나님의 무서운 징계라는 것은 생각에도 미치지 못했었지.

네가 왜 이렇게 미련한지 나는 안타까웠다. 그러나 나는 너를 너무나 사랑했지. 저렇게 죄 많은 모습으로 너를 지옥으로 보내고 싶지는 않았지. 왜냐하면 너의 아내가 너를 위하여 끊임없이 눈물로 기도하는 모습을 보았기 때문이지.

아내의 권유로 너는 아내와 같이 가고 싶지 않은 오산리 기도원에도 몇 차례 갔었지. 처음에는 통성기도와 복음성가 악기 소리에 적응을 못해 불만스런 모습으로 예배에 임했었지. 69kg의 환자 중 환자의 모습으로 오로지 병을 고치기 위해 예배의 준비도 없이 참석했지. 처음에는 전혀 변할 것 같지 않았지. 그러나 날이 갈수록 견고하게 굳어져 있던 너의 벽이 조금씩 허물어지는 모습을 나는 발견할 수 있었지."

하나님께서 저를 저버리실 수 있었음에도 불구하시고, 저를 마지막까지 포기하지 아니하시고, 구원과 사랑으로 채워 주사 하나의 그루터기가 되게 하셔서 과거의 모든 죄를 용서해 주시고, 새싹이 되게 해 주신 은혜 너무 감사합니다.

유다 백성처럼 하나님을 외면하고 원망하면서 온갖 죄악에 빠져 순종하지 못한 이 죄인을 있는 모습 그대로 받아 주시고, 사랑으로 채워 주신 은혜 감사합니다. 이제부터라도 주님의 무궁하고 깊은 사랑 헤아릴 수 없지만, 그 사랑 받아 이웃에게 사랑으로 다가서는 모습으로 살겠습니다. 주님! 감사합니다.

Q 누구를 위해 인내하며 중보기도하고,
주님께 돌아오도록 해야 할까?

7. 인생을 살면서 언제 드렸던 기도가 가장 기억에 남는가

8. 하나님은 히스기야가 간절히 기도할 때 언제 기적적 역사를 일으켜 주셨는가

1 그때에 히스기야가 병들어 죽게 되매 아모스의 아들 선지자 이사야가 그에게
나아와서 그에게 이르되 여호와의 말씀이 너는 집을 정리하라 네가 죽고 살지
못하리라 하셨나이다 2 히스기야가 낯을 벽으로 향하고 여호와께 기도하여 이
르되 3 여호와여 구하오니 내가 진실과 전심으로 주 앞에 행하며 주께서 보시
기에 선하게 행한 것을 기억하옵소서 하고 히스기야가 심히 통곡하더라 4 이사
야가 성읍 가운데까지도 이르기 전에 여호와의 말씀이 그에게 임하여 이르시
되 5 너는 돌아가서 내 백성의 주권자 히스기야에게 이르기를 왕의 조상 다윗
의 하나님 여호와의 말씀이 내가 네 기도를 들었고 네 눈물을 보았노라 내가 너
를 낫게 하리니 네가 삼 일 만에 여호와의 성전에 올라가겠고 6 내가 네 날에 십
오 년을 더할 것이며 내가 너와 이 성을 앗수르 왕의 손에서 구원하고 내가 나
를 위하고 또 내 종 다윗을 위하므로 이 성을 보호하리라 하셨다 하라 하셨더
라_ **왕하 20:1-6**

9. 마지막 때가 가까울수록 무엇을 위해 더 기도해야 하는가

> 2 너는 말씀을 전파하라 때를 얻든지 못 얻든지 항상 힘쓰라 범사에 오래 참음
> 과 가르침으로 경책하며 경계하며 권하라 3 때가 이르리니 사람이 바른 교훈을
> 받지 아니하며 귀가 가려워서 자기의 사욕을 따를 스승을 많이 두고 4 또 그 귀
> 를 진리에서 돌이켜 허탄한 이야기를 따르리라 5 그러나 너는 모든 일에 신중
> 하여 고난을 받으며 전도자의 일을 하며 네 직무를 다하라_**딤후 4:2-5**

- 말씀을 더 전파하도록
- 범사에 오래 참고, 가르침으로 경책하고 경계하도록
- 바른 교훈을 받도록
- 자기의 사욕을 따르지 않도록
- 진리에서 돌이켜 허탄한 이야기를 따르지 않도록
- 모든 일에 신중하도록
- 고난을 받으며 전도자의 직무를 다하도록

10. 일을 결정할 때 어떻게 기도해야 하는가

Q 사울이 죽었을 때 다윗은 어떻게 행동하였는가?

여호와께 묻는 다윗

> 그 후에 다윗이 여호와께 여쭈어 아뢰되 내가 유다 한 성읍으로 올라가리이까 여호와께서 이르시되 올라가라 다윗이 아뢰되 어디로 가리이까 이르시되 헤브론으로 갈지니라_**삼하 2:1**

11. 사도행전에서 기도할 때 어떤 역사가 일어났는가

1) 못 걷게 된 자를 고치는 ______ 와 ______

1 제 구시 기도 시간에 베드로와 요한이 성전에 올라갈새 2 나면서 못 걷게 된
이를 사람들이 메고 오니 이는 성전에 들어가는 사람들에게 구걸하기 위하여
날마다 미문이라는 성전 문에 두는 자라 3 그가 베드로와 요한이 성전에 들어
가려 함을 보고 구걸하거늘 4 베드로가 요한과 더불어 주목하여 이르되 우리를
보라 하니 5 그가 그들에게서 무엇을 얻을까 하여 바라보거늘 6 베드로가 이르
되 은과 금은 내게 없거니와 내게 있는 이것을 네게 주노니 나사렛 예수 그리스
도의 이름으로 일어나 걸으라 하고 7 오른손을 잡아 일으키니 발과 발목이 곧
힘을 얻고 8 뛰어 서서 걸으며 그들과 함께 성전으로 들어가면서 걷기도 하고
뛰기도 하며 하나님을 찬송하니 9 모든 백성이 그 걷는 것과 하나님을 찬송함
을 보고 10 그가 본래 성전 미문에 앉아 구걸하던 사람인 줄 알고 그에게 일어난
일로 인하여 심히 놀랍게 여기며 놀라니라_**행 3:1-10**

2) 베드로가 죽은 다비다(도르가)를 살림

36 욥바에 다비다라 하는 여제자가 있으니 그 이름을 번역하면 도르가라 선행
과 구제하는 일이 심히 많더니 37 그때에 병들어 죽으매 시체를 씻어 다락에 누
이니라 38 룻다가 욥바에서 가까운지라 제자들이 베드로가 거기 있음을 듣고
두 사람을 보내어 지체 말고 와 달라고 간청하여 39 베드로가 일어나 그들과 함
께 가서 이르매 그들이 데리고 다락방에 올라가니 모든 과부가 베드로 곁에 서
서 울며 도르가가 그들과 함께 있을 때에 지은 속옷과 겉옷을 다 내보이거늘 40
베드로가 사람을 다 내보내고 무릎을 꿇고 기도하고 돌이켜 시체를 향하여 이
르되 다비다야 일어나라 하니 그가 눈을 떠 베드로를 보고 일어나 앉는지라 41
베드로가 손을 내밀어 일으키고 성도들과 과부들을 불러 들여 그가 살아난 것
을 보이니 42 온 욥바 사람이 알고 많은 사람이 주를 믿더라_**행 9:36-42**

3) 옥에 갇힌 ＿＿＿＿＿를 구출함

5 이에 베드로는 옥에 갇혔고 교회는 그를 위하여 간절히 하나님께 기도하더라
6 헤롯이 잡아 내려고 하는 그 전날 밤에 베드로가 두 군인 틈에서 두 쇠사슬에
매여 누워 자는데 파수꾼들이 문 밖에서 옥을 지키더니 7 홀연히 주의 사자가
나타나매 옥중에 광채가 빛나며 또 베드로의 옆구리를 쳐 깨워 이르되 급히 일
어나라 하니 쇠사슬이 그 손에서 벗어지더라 8 천사가 이르되 띠를 띠고 신을
신으라 하거늘 베드로가 그대로 하니 천사가 또 이르되 겉옷을 입고 따라오라
한대 9 베드로가 나와서 따라갈새 천사가 하는 것이 생시인 줄 알지 못하고 환
상을 보는가 하니라 10 이에 첫째와 둘째 파수를 지나 시내로 통한 쇠문에 이르
니 문이 저절로 열리는지라 나와서 한 거리를 지나매 천사가 곧 떠나더라 11 이
에 베드로가 정신이 들어 이르되 내가 이제야 참으로 주께서 그의 천사를 보내
어 나를 헤롯의 손과 유대 백성의 모든 기대에서 벗어나게 하신 줄 알겠노라 하
여 12 깨닫고 마가라 하는 요한의 어머니 마리아의 집에 가니 여러 사람이 거기
에 모여 기도하고 있더라 13 베드로가 대문을 두드린대 로데라 하는 여자 아이
가 영접하러 나왔다가 14 베드로의 음성인 줄 알고 기뻐하여 문을 미처 열지 못
하고 달려 들어가 말하되 베드로가 대문 밖에 섰더라 하니 15 그들이 말하되 네
가 미쳤다 하나 여자 아이는 힘써 말하되 참말이라 하니 그들이 말하되 그러면
그의 천사라 하더라 16 베드로가 문 두드리기를 그치지 아니하니 그들이 문을
열어 베드로를 보고 놀라는지라 17 베드로가 그들에게 손짓하여 조용하게 하고
주께서 자기를 이끌어 옥에서 나오게 하던 일을 말하고 또 야고보와 형제들에
게 이 말을 전하라 하고 떠나 다른 곳으로 가니라_**행 12:5-17**

4) 걷지 못하는 자를 고치심

8 루스드라에 발을 쓰지 못하는 한 사람이 앉아 있는데 나면서 걷지 못하게 되
어 걸어 본 적이 없는 자라 9 바울이 말하는 것을 듣거늘 바울이 주목하여 구원
받을 만한 믿음이 그에게 있는 것을 보고 10 큰 소리로 이르되 네 발로 바로 일
어서라 하니 그 사람이 일어나 걷는지라_**행 14:8-10**

5) ________ 에 큰 지진이 일어남

19 여종의 주인들은 자기 수익의 소망이 끊어진 것을 보고 바울과 실라를 붙잡
아 장터로 관리들에게 끌어 갔다가 20 상관들 앞에 데리고 가서 말하되 이 사람
들이 유대인인데 우리 성을 심히 요란하게 하여 21 로마 사람인 우리가 받지도
못하고 행하지도 못할 풍속을 전한다 하거늘 22 무리가 일제히 일어나 고발하
니 상관들이 옷을 찢어 벗기고 매로 치라 하여 23 많이 친 후에 옥에 가두고 간
수에게 명하여 든든히 지키라 하니 24 그가 이러한 명령을 받아 그들을 깊은 옥
에 가두고 그 발을 차꼬에 든든히 채웠더니 25 한밤중에 바울과 실라가 기도하
고 하나님을 찬송하매 죄수들이 듣더라 26 이에 갑자기 큰 지진이 나서 옥터가
움직이고 문이 곧 다 열리며 모든 사람의 매인 것이 다 벗어진지라 27 간수가 자
다가 깨어 옥문들이 열린 것을 보고 죄수들이 도망한 줄 생각하고 칼을 빼어 자
결하려 하거늘 28 바울이 크게 소리 질러 이르되 네 몸을 상하지 말라 우리가 다
여기 있노라 하니 29 간수가 등불을 달라고 하며 뛰어 들어가 무서워 떨며 바
울과 실라 앞에 엎드리고 30 그들을 데리고 나가 이르되 선생들이여 내가 어떻
게 하여야 구원을 받으리이까 하거늘 31 이르되 주 예수를 믿으라 그리하면 너
와 네 집이 구원을 받으리라 하고 32 주의 말씀을 그 사람과 그 집에 있는 모든
사람에게 전하더라 33 그 밤 그 시각에 간수가 그들을 데려다가 그 맞은 자리를
씻어 주고 자기와 그 온 가족이 다 세례를 받은 후 34 그들을 데리고 자기 집에
올라가서 음식을 차려 주고 그와 온 집안이 하나님을 믿으므로 크게 기뻐하니
라_**행 16:19-34**

6) 유두고를 살린 바울의 기도

9 유두고라 하는 청년이 창에 걸터 앉아 있다가 깊이 졸더니 바울이 강론하기
를 더 오래하매 졸음을 이기지 못하여 삼 층에서 떨어지거늘 일으켜보니 죽었
는지라 10 바울이 내려가서 그 위에 엎드려 그 몸을 안고 말하되 떠들지 말라 생
명이 그에게 있다 하고 11 올라가 떡을 떼어 먹고 오랫동안 곧 날이 새기까지 이
야기하고 떠나니라 12 사람들이 살아난 청년을 데리고 가서 적지 않게 위로를
받았더라_**행 20:9-12**

7) ______ 를 만난 사람을 구한 기도

21 여러 사람이 오래 먹지 못하였으매 바울이 가운데 서서 말하되 여러분이여
내 말을 듣고 그레데에서 떠나지 아니하여 이 타격과 손상을 면하였더라면 좋
을 뻔하였느니라 22 내가 너희를 권하노니 이제는 안심하라 너희 중 아무도 생
명에는 아무런 손상이 없겠고 오직 배뿐이리라 23 내가 속한 바 곧 내가 섬기는
하나님의 사자가 어제 밤에 내 곁에 서서 말하되 24 바울아 두려워하지 말라 네
가 가이사 앞에 서야 하겠고 또 하나님께서 너와 함께 항해하는 자를 다 네게
주셨다 하였으니 25 그러므로 여러분이여 안심하라 나는 내게 말씀하신 그대로
되리라고 하나님을 믿노라_**행 27:21-25**

8) 독사가 바울을 상하게 하지 못함

3 바울이 나무 한 묶음을 거두어 불에 넣으니 뜨거움으로 말미암아 독사가 나
와 그 손을 물고 있는지라 4 원주민들이 이 짐승이 그 손에 매달려 있음을 보고
서로 말하되 진실로 이 사람은 살인한 자로다 바다에서는 구조를 받았으나 공
의가 그를 살지 못하게 함이로다 하더니 5 바울이 그 짐승을 불에 떨어 버리매
조금도 상함이 없더라 6 그들은 그가 붓든지 혹은 갑자기 쓰러져 죽을 줄로 기
다렸다가 오래 기다려도 그에게 아무 이상이 없음을 보고 돌이켜 생각하여 말
하되 그를 신이라 하더라_**행 28:3-6**

9) ______ 과 ______ 에 걸린 보블리오를 기도로 치유함

보블리오의 부친이 열병과 이질에 걸려 누워 있거늘 바울이 들어가서 기도하
고 그에게 안수하여 낫게 하매_**행 28:8**

12. 언제 안수기도를 해야 하는가

1) ______ 를 부여하기 위해

시몬이 사도들의 안수로 성령 받는 것을 보고 돈을 드려_**행 8:18**

2) 축복하기 위해

1 예수께서 거기서 떠나 유대 지경과 요단 강 건너편으로 가시니 무리가 다시
모여들거늘 예수께서 다시 전례대로 가르치시더니 **2** 바리새인들이 예수께 나
아와 그를 시험하여 묻되 사람이 아내를 버리는 것이 옳으니이까 **3** 대답하여
이르시되 모세가 어떻게 너희에게 명하였느냐 **4** 이르되 모세는 이혼 증서를 써
주어 버리기를 허락하였나이다 **5** 예수께서 그들에게 이르시되 너희 마음이 완
악함으로 말미암아 이 명령을 기록하였거니와 **6** 창조 때로부터 사람을 남자와
여자로 지으셨으니 **7** 이러므로 사람이 그 부모를 떠나서 **8** 그 둘이 한 몸이 될지
니라 이러한즉 이제 둘이 아니요 한 몸이니 **9** 그러므로 하나님이 짝 지어 주신
것을 사람이 나누지 못할지니라 하시더라 **10** 집에서 제자들이 다시 이 일을 물
으니 **11** 이르시되 누구든지 그 아내를 버리고 다른 데에 장가 드는 자는 본처에
게 간음을 행함이요 **12** 또 아내가 남편을 버리고 다른 데로 시집 가면 간음을 행
함이니라 **13** 사람들이 예수께서 만져 주심을 바라고 어린아이들을 데리고 오매
제자들이 꾸짖거늘 **14** 예수께서 보시고 노하시어 이르시되 어린아이들이 내게
오는 것을 용납하고 금하지 말라 하나님의 나라가 이런 자의 것이니라 **15** 내가
진실로 너희에게 이르노니 누구든지 하나님의 나라를 어린아이와 같이 받들지
않는 자는 결단코 그곳에 들어가지 못하리라 하시고 **16** 그 어린아이들을 안고
그들 위에 안수하시고 축복하시니라_**막 10:1-16**

3) ______ 을 임명할 때

사도들 앞에 세우니 사도들이 기도하고 그들에게 안수하니라_**행 6:6**

4) 파송할 때

이에 금식하며 기도하고 두 사람에게 안수하여 보내니라_**행 13:3**

13. 예수님은 언제 기도하셨는가

1) ______ 중에

이르시되 아버지여 만일 아버지의 뜻이거든 이 잔을 내게서 옮기시옵소서 그러나 내 원대로 마시옵고 아버지의 원대로 되기를 원하나이다 하시니_**눅 22:42**

2) 새벽에

새벽 아직도 밝기 전에 예수께서 일어나 나가 한적한 곳으로 가사 거기서 기도하시더니_**막 1:35**

3) 모든 일과를 마치고 ______ 에

이에 예수께서 제자들과 함께 겟세마네라 하는 곳에 이르러 제자들에게 이르시되 내가 저기 가서 기도할 동안에 너희는 여기 앉아 있으라 하시고_**마 26:36**

그들이 겟세마네라 하는 곳에 이르매 예수께서 제자들에게 이르시되 내가 기도할 동안에 너희는 여기 앉아 있으라 하시고_**막 14:32**

14. 언제 기도해야 하는가

사람이 감당할 시험 밖에는 너희가 당한 것이 없나니 오직 하나님은 미쁘사 너희가 감당하지 못할 시험 당함을 허락하지 아니하시고 시험 당할 즈음에 또한 피할 길을 내사 너희로 능히 감당하게 하시느니라_**고전 10:13**

15. 인생을 살면서 우리는 언제 특별히 더 기도해야 하는가

가톨릭 7성례

그리스도께서 세우신 성례는 세례와 성찬 두 가지 뿐이다. 그러나 로마 가톨릭에서는 성례가 변형되어 7개로 늘어났다.

1) 영세(Baptism)

2) 성체 성사(Eucharist)

3) 견진 성사(Confirmation)

4) 고해 성사(Confession)

5) 결혼 성사(Marriage)

6) 성품 성사(Ordination)

7) 종유 성시(Extreme unction)

- 어릴 때
- 예배를 드릴 때
- 자신의 신앙을 돌아보고 확인할 때
- 죄를 고할 때
- 결혼할 때
- 직분을 받을 때
- 임종이 다가 올 때

Q 인생을 살 때 언제 더 기도해야 할 것 같은가?
서로 나누어 보라!

과제

☑ **말씀암송**

야고보서 5:13

너희 중에 고난 당하는 자가 있느냐

그는 기도할 것이요 즐거워하는 자가 있느냐

그는 찬송할지니라

☑ **실천사항**

매일 정해진 시간에 기도하기

☑ **메모**

Where

chapter 6

기도의 장소

1. 사람마다 기도하는 자리가 있는데, 당신의 기도하는 자리는 어디인가

2. 베드로와 요한은 어디로 기도하러 갔는가 기도하러 가는 도중 어떤 기적을 일으켰는가

1 제 구 시 기도 시간에 베드로와 요한이 성전에 올라갈새 2 나면서 못 걷게 된
이를 사람들이 메고 오니 이는 성전에 들어가는 사람들에게 구걸하기 위하여
날마다 미문이라는 성전 문에 두는 자라 3 그가 베드로와 요한이 성전에 들어
가려 함을 보고 구걸하거늘 4 베드로가 요한과 더불어 주목하여 이르되 우리를
보라 하니 5 그가 그들에게서 무엇을 얻을까 하여 바라보거늘 6 베드로가 이르
되 은과 금은 내게 없거니와 내게 있는 이것을 네게 주노니 나사렛 예수 그리스
도의 이름으로 일어나 걸으라 하고 7 오른손을 잡아 일으키니 발과 발목이 곧
힘을 얻고 8 뛰어 서서 걸으며 그들과 함께 성전으로 들어가면서 걷기도 하고
뛰기도 하며 하나님을 찬송하니 9 모든 백성이 그 걷는 것과 하나님을 찬송함
을 보고 10 그가 본래 성전 미문에 앉아 구걸하던 사람인 줄 알고 그에게 일어난
일로 인하여 심히 놀랍게 여기며 놀라니라_**행 3:1-10**

3. 야곱에게는 평생 잊을 수 없는 장소가 있었다. 그 장소는 어디며, 어떤 서원 기도를 드렸는가

10 야곱이 브엘세바에서 떠나 하란으로 향하여 가더니 11 한 곳에 이르러는 해
가 진지라 거기서 유숙하려고 그곳의 한 돌을 가져다가 베개로 삼고 거기 누워
자더니 12 꿈에 본즉 사닥다리가 땅 위에 서 있는데 그 꼭대기가 하늘에 닿았고
또 본즉 하나님의 사자들이 그 위에서 오르락내리락하고 13 또 본즉 여호와께
서 그 위에 서서 이르시되 나는 여호와니 너의 조부 아브라함의 하나님이요 이
삭의 하나님이라 네가 누워 있는 땅을 내가 너와 네 자손에게 주리니 14 네 자손
이 땅의 티끌 같이 되어 네가 서쪽과 동쪽과 북쪽과 남쪽으로 퍼져나갈지며 땅
의 모든 족속이 너와 네 자손으로 말미암아 복을 받으리라 15 내가 너와 함께 있
어 네가 어디로 가든지 너를 지키며 너를 이끌어 이 땅으로 돌아오게 할지라 내
가 네게 허락한 것을 다 이루기까지 너를 떠나지 아니하리라 하신지라 16 야곱
이 잠이 깨어 이르되 여호와께서 과연 여기 계시거늘 내가 알지 못하였도다 17
이에 두려워하여 이르되 두렵도다 이곳이여 이것은 다름 아닌 하나님의 집이
요 이는 하늘의 문이로다 하고 18 야곱이 아침에 일찍이 일어나 베개로 삼았던
돌을 가져다가 기둥으로 세우고 그 위에 기름을 붓고 19 그곳 이름을 벧엘이라
하였더라 이 성의 옛 이름은 루스더라 20 야곱이 서원하여 이르되 하나님이 나
와 함께 계셔서 내가 가는 이 길에서 나를 지키시고 먹을 떡과 입을 옷을 주시
어 21 내가 평안히 아버지 집으로 돌아가게 하시오면 여호와께서 나의 하나님
이 되실 것이요 22 내가 기둥으로 세운 이 돌이 하나님의 집이 될 것이요 하나님
께서 내게 주신 모든 것에서 십분의 일을 내가 반드시 하나님께 드리겠나이다
하였더라_**창 28:10-22**

Q 당신이 기도를 하면서 은혜를 받은 장소,
혹 잊을 수 없는 하나님을 만난 장소는 어디인가?

4. 예수님은 어디서 기도하셨는가

1) 겟세마네에서

이에 예수께서 제자들과 함께 겟세마네라 하는 곳에 이르러 제자들에게 이르시되 내가 저기 가서 기도할 동안에 너희는 여기 앉아 있으라 하시고_**마 26:36**

2) 한적한 곳에서

예수는 물러가사 한적한 곳에서 기도하시니라_**눅 5:16**

Q 나의 기도처는 어디인가?
왜 거기서 기도하기를 즐겨하는가?

5. 성경에서는 믿음의 사람들이 어떤 장소에서 기도하였는가

1) 산에서

모세가 여호수아에게 이르되 우리를 위하여 사람들을 택하여 나가서 아말렉과 싸우라 내일 내가 하나님의 지팡이를 손에 잡고 산 꼭대기에 서리라_**출 17:9**

이때에 예수께서 기도하시러 산으로 가사 밤이 새도록 하나님께 기도하시고_**눅 6:12**

무리를 보내신 후에 기도하러 따로 산에 올라가시니라 저물매 거기 혼자 계시더니_마 14:23

2) 광야에서

1 그때에 예수께서 성령에게 이끌리어 마귀에게 시험을 받으러 광야로 가사 2
사십 일을 밤낮으로 금식하신 후에 주리신지라_마 4:1-2

3) 집에서

고넬료가 이르되 내가 나흘 전 이맘때까지 내 집에서 제 구 시 기도를 하는데 갑자기 한 사람이 빛난 옷을 입고 내 앞에 서서_행 10:30

깨닫고 마가라 하는 요한의 어머니 마리아의 집에 가니 여러 사람이 거기에 모여 기도하고 있더라_행 12:12

4) 구덩이 속에서

여호와여 내가 심히 깊은 구덩이에서 주의 이름을 불렀나이다_애 3:55

5) 골방에서

너는 기도할 때에 네 골방에 들어가 문을 닫고 은밀한 중에 계신 네 아버지께 기도하라 은밀한 중에 보시는 네 아버지께서 갚으시리라_마 6:6

6) 물고기 뱃 속에서

요나가 물고기 뱃속에서 그의 하나님 여호와께 기도하여_욘 2:1

6. 예수님은 하나님의 성전이 어떤 처소가 되기를 원하시는가

그들에게 이르시되 기록된 바 내 집은 기도하는 집이라 일컬음을 받으리라 하였거늘 너희는 강도의 소굴을 만드는도다 하시니라_마 21:13

7. 예수님은 십자가 위에서 무엇을 하셨는가

예수께서 큰 소리로 불러 이르시되 아버지 내 영혼을 아버지 손에 부탁하나이다 하고 이 말씀을 하신 후 숨지시니라_눅 23:46

Q 예수님은 십자가에서 자신을 메시아로 인정하지 못하고, 죽이려는 자를 어떻게 하셨는가?

이에 예수께서 이르시되 아버지 저들을 사하여 주옵소서 자기들이 하는 것을 알지 못함이니이다 하시더라 그들이 그의 옷을 나눠 제비 뽑을새_눅 23:34

Q 나 자신은 누구를 위해 기도하고, 품으며 살아야 하는가?

8. 어떤 상황 속에서도 기도해야 하는가

그 형제를 미워하는 자마다 살인하는 자니 살인하는 자마다 영생이 그 속에 거하지 아니하는 것을 너희가 아는 바라_요일 3:15

---

1 이스라엘 자손들이 온전히 바친 물건으로 말미암아 범죄하였으니 이는 유다
지파 세라의 증손 삽디의 손자 갈미의 아들 아간이 온전히 바친 물건을 가졌음
이라 여호와께서 이스라엘 자손들에게 진노하시니라 2 여호수아가 여리고에서
사람을 벧엘 동쪽 벧아웬 곁에 있는 아이로 보내며 그들에게 말하여 이르되 올
라가서 그 땅을 정탐하라 하매 그 사람들이 올라가서 아이를 정탐하고 3 여호
수아에게로 돌아와 그에게 이르되 백성을 다 올라가게 하지 말고 이삼천 명만
올라가서 아이를 치게 하소서 그들은 소수이니 모든 백성을 그리로 보내어 수
고롭게 하지 마소서 하므로 4 백성 중 삼천 명쯤 그리로 올라갔다가 아이 사람
앞에서 도망하니 5 아이 사람이 그들을 삼십육 명쯤 쳐죽이고 성문 앞에서부
터 스바림까지 쫓아가 내려가는 비탈에서 쳤으므로 백성의 마음이 녹아 물 같
이 된지라 6 여호수아가 옷을 찢고 이스라엘 장로들과 함께 여호와의 궤 앞에
서 땅에 엎드려 머리에 티끌을 뒤집어쓰고 저물도록 있다가 7 이르되 슬프도소
이다 주 여호와여 어찌하여 이 백성을 인도하여 요단을 건너게 하시고 우리를
아모리 사람의 손에 넘겨 멸망시키려 하셨나이까 우리가 요단 저쪽을 만족하
게 여겨 거주하였더면 좋을 뻔하였나이다 8 주여 이스라엘이 그의 원수들 앞에
서 돌아섰으니 내가 무슨 말을 하오리이까 9 가나안 사람과 이 땅의 모든 사람
들이 듣고 우리를 둘러싸고 우리 이름을 세상에서 끊으리니 주의 크신 이름을
위하여 어떻게 하시려 하나이까 하니 10 여호와께서 여호수아에게 이르시되 일
어나라 어찌하여 이렇게 엎드렸느냐 11 이스라엘이 범죄하여 내가 그들에게 명
령한 나의 언약을 어겼으며 또한 그들이 온전히 바친 물건을 가져가고 도둑질
하며 속이고 그것을 그들의 물건들 가운데에 두었느니라 12 그러므로 이스라엘
자손들이 그들의 원수 앞에 능히 맞서지 못하고 그 앞에서 돌아섰나니 이는 그
들도 온전히 바친 것이 됨이라 그 온전히 바친 물건을 너희 중에서 멸하지 아니
하면 내가 다시는 너희와 함께 있지 아니하리라 13 너는 일어나서 백성을 거룩
하게 하여 이르기를 너희는 내일을 위하여 스스로 거룩하게 하라 이스라엘의
하나님 여호와의 말씀에 이스라엘아 너희 가운데에 온전히 바친 물건이 있나
니 너희가 그 온전히 바친 물건을 너희 가운데에서 제하기까지는 네 원수들 앞
에 능히 맞서지 못하리라_**수 7:1-13**

형제들아 내가 우리 주 예수 그리스도의 이름으로 너희를 권하노니 모두가 같은 말을 하고 너희 가운데 분쟁이 없이 같은 마음과 같은 뜻으로 온전히 합하라_**고전 1:10**

그가 또 그 땅에 기근이 들게 하사 그들이 의지하고 있는 양식을 다 끊으셨도다_**시 105:16**

21 그 바라는 것은 피조물도 썩어짐의 종노릇한 데서 해방되어 하나님의 자녀
들의 영광의 자유에 이르는 것이니라 **22** 피조물이 다 이제까지 함께 탄식하며
함께 고통을 겪고 있는 것을 우리가 아느니라_**롬 8:21-22**

9. 왜 사람은 경건하도록 기도하고, 마음 밭을 깨끗하게 해야 하는가

24 더러운 귀신이 사람에게서 나갔을 때에 물 없는 곳으로 다니며 쉬기를 구하
되 얻지 못하고 이에 이르되 내가 나온 내 집으로 돌아가리라 하고 **25** 가서 보니
그 집이 청소되고 수리되었거늘 **26** 이에 가서 저보다 더 악한 귀신 일곱을 데리고
들어가서 거하니 그 사람의 나중 형편이 전보다 더 심하게 되느니라_**눅 11:24-26**

10. 다윗은 사울이 죽은 뒤 왕의 자리를 차지해도 되었다. 그러나 그는 어떻게 기도하였는가

1 그 후에 다윗이 여호와께 여쭈어 아뢰되 내가 유다 한 성읍으로 올라가리이
까 여호와께서 이르시되 올라가라 다윗이 아뢰되 어디로 가리이까 이르시되
헤브론으로 갈지니라 2 다윗이 그의 두 아내 이스르엘 여인 아히노암과 갈멜
사람 나발의 아내였던 아비가일을 데리고 그리로 올라갈 때에 3 또 자기와 함
께한 추종자들과 그들의 가족들을 다윗이 다 데리고 올라가서 헤브론 각 성읍
에 살게 하니라_**삼하 2:1-3**

Q 그런 다윗에게 어떤 일이 일어났는가?

1 이스라엘 모든 지파가 헤브론에 이르러 다윗에게 나아와 이르되 보소서 우리
는 왕의 한 골육이니이다 2 전에 곧 사울이 우리의 왕이 되었을 때에도 이스라
엘을 거느려 출입하게 하신 분은 왕이시었고 여호와께서도 왕에게 말씀하시기
를 네가 내 백성 이스라엘의 목자가 되며 네가 이스라엘의 주권자가 되리라 하
셨나이다 하니라 3 이에 이스라엘 모든 장로가 헤브론에 이르러 왕에게 나아오
매 다윗 왕이 헤브론에서 여호와 앞에 그들과 언약을 맺으매 그들이 다윗에게
기름을 부어 이스라엘 왕으로 삼으니라 4 다윗이 나이가 삼십 세에 왕위에 올
라 사십 년 동안 다스렸으되 5 헤브론에서 칠 년 육 개월 동안 유다를 다스렸고
예루살렘에서 삼십삼 년 동안 온 이스라엘과 유다를 다스렸더라_**삼하 5:1-5**

Q 남쪽과 북쪽이 통일되기 위해 우리는 어떻게 기도하고, 노력해야 하는가?

11. 어디로 갈지, 무엇을 하기 전 우리는 기도해야 한다. 최근 내 앞에 놓인 큰 일은 무엇이고, 어떻게 기도해야 하는가

---

12. 지금 기도가 필요한 곳은 어디인지 적고 서로 나누라!

- 기도가 필요한 가정?
- 기도가 필요한 부서 혹 공동체?
- 기도가 필요한 교회?
- 기도가 필요한 선교지 & 선교사님?
- 기도가 필요한 나라 & 문제?

과제

☑ **말씀암송**

마태복음 6:6

너는 기도할 때에 네 골방에 들어가 문을 닫고

은밀한 중에 계신 네 아버지께 기도하라

은밀한 중에 보시는 네 아버지께서 갚으시리라

☑ **실천사항**

12번에 나눈 내용들을 위해 매일 기도하기

☑ **메모**

기도와 관련된 성경 구절

너희가 내게 부르짖으며 내게 와서 기도하면 내가 너희들의 기도를 들을 것이요_렘 29:12

나는 너희에게 이르노니 너희 원수를 사랑하며 너희를 박해하는 자를 위하여 기도하라_마 5:44

또 너희는 기도할 때에 외식하는 자와 같이 하지 말라 그들은 사람에게 보이려고 회당과 큰 거리 어귀에 서서 기도하기를 좋아하느니라 내가 진실로 너희에게 이르노니 그들은 자기 상을 이미 받았느니라_마 6:5

너는 기도할 때에 네 골방에 들어가 문을 닫고 은밀한 중에 계신 네 아버지께 기도하라 은밀한 중에 보시는 네 아버지께서 갚으시리라_마 6:6

또 기도할 때에 이방인과 같이 중언부언하지 말라 그들은 말을 많이 하여야 들으실 줄 생각하느니라_마 6:7

그러므로 너희는 이렇게 기도하라 하늘에 계신 우리 아버지여 이름이 거룩히 여김을 받으시오며_마 6:9

구하라 그리하면 너희에게 주실 것이요 찾으라 그리하면 찾아낼 것이요 문을 두드리라 그리하면 너희에게 열릴 것이니 구하는 이마다 받을 것이요 찾는 이는 찾아낼 것이요 두드리는 이에게는 열릴 것이니라_마 7:7-8

너희가 악한 자라도 좋은 것으로 자식에게 줄 줄 알거든 하물며 하늘에 계신 너희 아버지께서 구하는 자에게 좋은 것으로 주시지 않겠느냐_마 7:11

그들에게 이르시되 기록된 바 내 집은 기도하는 집이라 일컬음을 받으리라 하였거늘 너희는 강도의 소굴을 만드는도다 하시니라_마 21:13

너희가 기도할 때에 무엇이든지 믿고 구하는 것은 다 받으리라 하시니라_마 21:22

이 잔을 내게서 지나가게 하옵소서 그러나 나의 원대로 마시옵고 아버지의 원대로 하옵소서 하시고_**마 26:39**

시험에 들지 않게 깨어 기도하라 마음에는 원이로되 육신이 약하도다 하시고_**마 26:41**

다시 두 번째 나아가 기도하여 이르시되 내 아버지여 만일 내가 마시지 않고는 이 잔이 내게서 지나갈 수 없거든 아버지의 원대로 되기를 원하나이다 하시고_**마 26:42**

그러므로 내가 너희에게 말하노니 무엇이든지 기도하고 구하는 것은 받은 줄로 믿으라 그리하면 너희에게 그대로 되리라_**막 11:24**

예수께서 한 곳에서 기도하시고 마치시매 제자 중 하나가 여짜오되 주여 요한이 자기 제자들에게 기도를 가르친 것과 같이 우리에게도 가르쳐 주옵소서_**눅 11:1**

예수께서 이르시되 너희는 기도할 때에 이렇게 하라 아버지여 이름이 거룩히 여김을 받으시오며 나라가 임하시오며_**눅 11:2**

이러므로 너희는 장차 올 이 모든 일을 능히 피하고 인자 앞에 서도록 항상 기도하며 깨어 있으라 하시니라_**눅 21:36**

그러나 내가 너를 위하여 네 믿음이 떨어지지 않기를 기도하였노니 너는 돌이킨 후에 네 형제를 굳게 하라_**눅 22:32**

그곳에 이르러 그들에게 이르시되 유혹에 빠지지 않게 기도하라 하시고_**눅 22:40**

그들을 떠나 돌 던질 만큼 가서 무릎을 꿇고 기도하여_**눅 22:41**

예수께서 힘쓰고 애써 더욱 간절히 기도하시니 땀이 땅에 떨어지는 핏방울 같이 되더라_**눅 22:44**

기도 후에 일어나 제자들에게 가서 슬픔으로 인하여 잠든 것을 보시고_**눅 22:45**

이르시되 어찌하여 자느냐 시험에 들지 않게 일어나 기도하라 하시니라_**눅 22:46**

너희가 내 이름으로 무엇을 구하든지 내가 행하리니 이는 아버지로 하여금 아들로 말미암아 영광을 받으시게 하려 함이라 내 이름으로 무엇이든지 내게 구하면 내가 행하리라_**요 14:13-14**

너희가 내 안에 거하고 내 말이 너희 안에 거하면 무엇이든지 원하는 대로 구하라 그리하면 이루리라_**요 15:7**

그날에는 너희가 아무것도 내게 묻지 아니하리라 내가 진실로 진실로 너희에게 이르노니 너희가 무엇이든지 아버지께 구하는 것을 내 이름으로 주시리라 지금까지는 너희가 내 이름으로 아무것도 구하지 아니하였으나 구하라 그리하면 받으리니 너희 기쁨이 충만하리라_**요 16:23-24**

그러면 어떻게 할까 내가 영으로 기도하고 또 마음으로 기도하며 내가 영으로 찬송하고 또 마음으로 찬송하리라_**고전 14:15**

너희도 우리를 위하여 간구함으로 도우라 이는 우리가 많은 사람의 기도로 얻은 은사로 말미암아 많은 사람이 우리를 위하여 감사하게 하려 함이라_**고후 1:11**

모든 기도와 간구를 하되 항상 성령 안에서 기도하고 이를 위하여 깨어 구하기를 항상 힘쓰며 여러 성도를 위하여 구하라_**엡 6:18**

아무것도 염려하지 말고 다만 모든 일에 기도와 간구로, 너희 구할 것을 감사함으로 하나님께 아뢰라_**빌 4:6**

우리가 너희를 위하여 기도할 때마다 하나님 곧 우리 주 예수 그리스도의 아버지께 감사하노라_**골 1:3**

이로써 우리도 듣던 날부터 너희를 위하여 기도하기를 그치지 아니하고 구하노니 너희로 하여금 모든 신령한 지혜와 총명에 하나님의 뜻을 아는 것으로 채우게 하시고_**골 1:9**

기도를 계속하고 기도에 감사함으로 깨어 있으라_**골 4:2**

또한 우리를 위하여 기도하되 하나님이 전도할 문을 우리에게 열어 주사 그리스도의 비밀을 말하게 하시기를 구하라 내가 이 일 때문에 매임을 당하였노라_ **골 4:3**

쉬지 말고 기도하라_ **살전 5:17**

그러므로 내가 첫째로 권하노니 모든 사람을 위하여 간구와 기도와 도고와 감사를 하되_ **딤전 2:1**

하나님의 말씀과 기도로 거룩하여짐이라_ **딤전 4:5**

너희 중에 누구든지 지혜가 부족하거든 모든 사람에게 후히 주시고 꾸짖지 아니하시는 하나님께 구하라 그리하면 주시리라_ **약 1:5**

그러므로 너희 죄를 서로 고백하며 병이 낫기를 위하여 서로 기도하라 의인의 간구는 역사하는 힘이 큼이니라_ **약 5:16**

엘리야는 우리와 성정이 같은 사람이로되 그가 비가 오지 않기를 간절히 기도한즉 삼 년 육 개월 동안 땅에 비가 오지 아니하고_ **약 5:17**

다시 기도하니 하늘이 비를 주고 땅이 열매를 맺었느니라_ **약 5:18**

무엇이든지 구하는 바를 그에게서 받나니 이는 우리가 그의 계명을 지키고 그 앞에서 기뻐하시는 것을 행함이라_ **요일 3:22**

그를 향하여 우리가 가진 바 담대함이 이것이니 그의 뜻대로 무엇을 구하면 들으심이라 우리가 무엇이든지 구하는 바를 들으시는 줄을 안즉 우리가 그에게 구한 그것을 얻은 줄을 또한 아느니라_ **요일 5:14-15**

나는 너희를 위하여 기도하기를 쉬는 죄를 여호와 앞에 결단코 범하지 아니하고 선하고 의로운 길을 너희에게 가르칠 것인즉너희는 여호와께서 너희를 위하여 행하신 그 큰 일을 생각하여 오직 그를 경외하며 너희의 마음을 다하여 진실히 섬기라만일 너희가 여전히 악을 행하면 너희와 너희 왕이 다 멸망하리라_ **삼상 12:23-24**

네가 부를 때에는 나 여호와가 응답하겠고 네가 부르짖을 때에는 내가 여기 있다 하리라_**사 58:9**

시온에 거주하며 예루살렘에 거주하는 백성아 너는 다시 통곡하지 아니할 것이라 그가 네 부르짖는 소리로 말미암아 네게 은혜를 베푸시되 그가 들으실 때에 네게 응답하시리라_**사 30:19**

그들이 부르기 전에 내가 응답하겠고 그들이 말을 마치기 전에 내가 들을 것이며_**사 65:24**

여호와는 악인을 멀리 하시고 의인의 기도를 들으시느니라_**잠 15:29**

이로 말미암아 모든 경건한 자는 주를 만날 기회를 얻어서 주께 기도할지라 진실로 홍수가 범람할지라도 그에게 미치지 못하리이다_**시 32:6**

여호와께서는 자기에게 간구하는 모든 자 곧 진실하게 간구하는 모든 자에게 가까이하시는도다 그는 자기를 경외하는 자들의 소원을 이루시며 또 그들의 부르짖음을 들으사 구원하시리로다_**시 145:18-19**

너는 내게 부르짖으라 내가 네게 응답하겠고 네가 알지 못하는 크고 은밀한 일을 네게 보이리라_**렘 33:3**

기도 양육 101 과제
체크리스트

	1주	2주	3주	4주	5주	6주
❶ 출석 체크						
❷ 하루기도 30분 이상						
❸ 암송구절 암기하기						
❹ 3명 이상 중보기도 제목 받기						
❺ 기도문 적어오기 (개인, 가정, 교회, 나라)						

❶ 매주 출석은 ○, 지각은 △, 결석은 × 표시해 주세요.
❷ 하루 30분씩 매일 기도했다면 ○, 어느 정도 했다면 △, 못했다면 × 표시해 주세요.
❸ 암송구절을 암송했다면 ○, 못했다면 × 표시해 주세요.
❹ 3명 이상에게 중보기도 제목을 받고 기도했다면 ○, 못했다면 × 표시해 주세요.
❺ 매주 1번 기도문을 적고 제출했다면 ○, 적지 못해 제출하지 못했다면 × 표시해 주세요.